BIBLIOTEKA 24
Vašar u Malom Parizu

D0807750

*Izdavač*
„Draganić" d.o.o. Beograd

*Za izdavača*
Ivan Draganić

*Na koricama*
Bogdan Miščević, *The Wizard's Path*

ISBN 978-86-441-0814-6
sasa.vc@gmail.com

Saša V. Ć.

# VAŠAR
# U
# MALOM PARIZU

2009
**ДРАГАНИЋ**

Tragajući za čudima,
i sami postajemo čudni.

Gledamo, a ne vidimo
Slušamo, a ne čujemo
Govorimo, ali ništa ne kažemo...

# Redosled čitanja

# MALA GOSPOJINA

Nekada davno, u varoši na dalekom istoku, živeli su muž i žena, Joakim i Ana, koji su se mnogo voleli. Skladno su živeli i nisu oskudevali ni u čemu, ali u svom tom blagostanju i ljubavi nisu uspeli izroditi nijedno dete. Bili su time postiđeni pred ljudima, a i pred samim Bogom, jer u stara vremena kuća bez dece nije mnogo poštovana.

Joakim je bio imućan i čestit čovek, uvažavali su ga bogataši, a još više siromasi i beskućnici kojima je često delio hranu i novac. Nosio je velikodušne darove i svešteniku u hram, ali je ovaj s vremenom počeo odbijati priloge, jer je Anu, Joakimovu ženu, smatrao božjom kaznom. Sa svih strana su ljudi vršili pritisak na Joakima da je ostavi i nađe sebi drugu ženu koja će mu izroditi decu, kako bi imao ko naslediti njegovo bogatsvo. Nazivali su je jalovušom i drugim pogrdnim imenima, ali to nije uticalo na Joakima. Voleo je Anu i nije hteo da je ostavi ni po koju cenu. Svi su bili protiv njih, a oni, u svojoj ljubavi, protiv celog sveta.

Ipak, Joakim se sve više povlačio u sebe, razočaran ljudima i svojom sudbinom koja mu nije namenila roditeljsku ulogu. Jednom je otišao u pustinju da se moli Bogu i ostao tamo četrdeset dana. Ništa nije jeo, postio je celo vreme i tražio načina da umoli Boga za dete ili da umre od gladi i prekrati svoju zlosretnu sudbinu. Naposletku se vratio kući još više razočaran...

Joakim i Ana su plakali i molili Boga da se smiluje na njih. Godine su prolazile i već su zakoračili u duboku starost, kad jednog dana dođe anđeo u njihov dom i najavi im rođenje deteta!

Ko je mogao biti sretniji od njih kada su dobili vest da će im se ispuniti želja!

U septembru te godine, rodila im se zdrava i lepa devojčica. Dali su joj ime Marija, a mi njen rođendan i dan-danas slavimo kao Malu Gospojinu.

– Pa dobro, deda, a što je ona tako važna, da mi moramo da slavimo njen rođendan? – upitao je Lazar češkajući nos prekriven zlatnim pegicama. Bio je veoma znatiželjno dete i uvek je dedu nešto zapitkivao, a deda je, opet, na sve imao odgovor.

– Lazo, koji si ti ono razred? – upita ga deda, milujući ga po glavi.

– Treći.

– Pa uče li vas u školi o Bogu?

– Ma jok, deda, uče nas srpski i matematiku!

– Auu, sramota živa, treba to da vas uče. Deca treba da znaju o hrišćanstvu i svetkovinama.

– Deda, nisi mi odgovorio zašto je njihova kćerka bila tako važna? – podseti ga unuk.

– Pa zato jer je ta devojčica, Marija, postala Božja majka, ona je rodila Isusa Hrista.

– Ja to, deda, ništa ne verujem! Kad si počeo tu priču o babi i dedi bez dece, mislio sam da ćeš da mi ispričaš Palčicu!

– Kuku meni, šta pričaš, nemoj da huliš na Boga! Bog, dušo dedina, sve vidi i čuje.

– A zašto onda nikome ne pomaže? – prkosno će dete.

Znao je deda šta muči Lazara. Pre mesec dana snajka je zapakovala kofer i napustila njegovog sina i ovo drago dete. Ostavila im je poruku na parčencetu papira, samo kratko *zbogom i čuvajte jedan drugog.* Nije im ni trebalo duže objašnjenje, znali su već da je izgubila glavu za nekim instruktorom vožnje... znali su svi u Šapcu, osim Lazara.

Dete je neutešno plakalo danima, nisu znali šta da mu kažu, gde je mati nestala. Koliko god da su prećutkivali istinu, dete je instinktivno slutilo da je neko bacio senku na njegovo mesto u majčinom životu.

Izgubio je apetit, ubledeo i omršaveo. I dalje se na svaki šum okretao prema vratima očekujući da se ona pojavi na njima. Nije se radovao letnjem raspustu, ni drugarima, izgubio je interesovanje za igračke i televiziju.

Udaljio se i od oca, kao da mu je potajno zamerao što njegovu majku nije učinio dovoljno sretnom. A i otac se udaljio od njega, bolelo ga je da pogleda dete, da li zbog osećaja krivice, ili zbog toga što je dete nasledilo majčine oči.

Lazar je najviše vremena provodio s dedom, jer ga on nikada nije izneverio. Deda je bio velemajstor, pa ga je često učio kako da igra šah. Između poteza su pričali o svemu važnom i nevažnom, Lazar je neumorno postavljao pitanja, a deda mu je neumorno odgovarao. Samo jedno Lazar nikada nije pitao, jer je znao da ni deda, ma koliko da je pametan, nema odgovor. *Hoće li se mama vratiti kući?*

– Slušaj, Lazo, pomaže Bog, pomaže svakome. Problem je samo što ljudi imaju već unapred zamišljenu ideju kako stvari treba da se reše, a Bog ima sopstveni način koji mi ne razumemo. On sigurno zna šta je za nas dobro bolje od nas samih.

– A zašto je bog hteo da me mama napusti? Šta tu ima dobro? – oštro upita Lazar.

*Auuu, šah*, pomislio je deda.

– Ne znam dušo dedina. Možda i Bog nekad odmara, možda zadrema, pa se ljudi iskradu i naprave nešto na svoju ruku – nemade deda boljeg objašnjenja.

– Deda, jesu li oni tamo zaista dobri? – pokazuje rukom dete prema tezgi na kojoj se prodaju ikone.

– Ma jesu, Lazo, najbolji! Samo su oni koji su ispravno i ponizno sledili puteve Božje postali sveci.

– Znaš deda, ja se njih bojim. Izgledaju mi kao neki vanzemaljci. Kad ih pogledam, kao da me ruže, kao da sam im ja kriv za nešto – šapnu Lazar dedi u poverenju.

*Pa jeste,* pomisli deda, *stvarno ne izgledaju veseli. Pre bi rekao čovek da su tužni... Da li zbog toga što su bili svesni ljudske grešnosti... ili zbog stvari koje su i sami želeli, ali su ih se odrekli da bi sledili put Božji?*

Deda prigrli unuka u snažan zagrljaj. Sve bi dao za njega i za svog sina, koji je, dok su oni šetali, prodavao robu iz svoje elektronske radnje. Ovo im je već peta godina otkako dolaze na vašar njih trojica zajedno, deda, sin i unuk. Baka je umrla, snajka otišla, a kuća ostala na njima, bez domaćice.

– Hodi 'vamo, Lazo! – povede ga deda do tezge sa knjigama i reče mu da izabere neku koja mu se sviđa, deda će da ga časti.

Lazar je u čudu gledao u prodavca, nikad nije video toliko starog čoveka! Pa i deda je izgledao kao dete u poređenju s njim!

– Izvoli dečko! – ohrabri ga prodavac knjiga sluteći da će detetu biti neugodno zbog njegovog metuzalemskog izgleda.

Lazar je kružio pogledom unaokolo, gledao u naslove i šarene korice, fantastične knjige u kojima se ljudi pretvaraju u robote i letelice, deca čarobnjaci vode borbu protiv zlih sila...

Deda je strpljivo čekao da vidi koju će knjigu Laza odabrati, nije hteo da mu se meša u izbor...

– Evo deda, ova mi se sviđa!

– Odličan izbor! – pohvali ga zadivljeno prodavac.

Deda pogleda ispod oka korice. *Vidi molim te, knjiga pesama! Baš je lepo izabrao,* pomisli s ponosom.

– E, svaka ti čast dečko! Hajde izaberi i jedan balon! – nagrađuje Lazara prodavac knjiga i pruža mu da izabere između već naduvanih crvenih i plavih balona.

Lazar je izabrao balon i učtivo zahvalio.

– Što crveni, Lazo, crveni je za devojčice? – reče deda dok je plaćao knjigu.

– Ne, deda! Crveni znači *žarka ljubav*! Ako mama dođe na vašar hoću da me lako pronađe u ovoj gužvi.

*Eh moje dete, nije dolazila ni u sretna vremena, a ne sada, kada živi s drugim čovekom,* razmišljao je deda s tugom. *Šta li joj je samo falilo u našoj kući? Biće da smo je previše voleli, pa smo je time zagušili. Ponekad ubijemo ljubav kad opkolimo čoveka s toliko pažnje… A ona mlada, zbunjena… navikla se na našu ljubav kao na najobičniju stvar, pa poželela izazov… Ko zna…*

Šetali su po Mihajlovcu, dan je bio lep i sunčan, iako je prethodnih dana padala kiša. Krstarili su od tezge do tezge, deda je ispitivao Lazara koliko je hrabar i na koje sve vožnje će smeti da ide sam, jer deda nije smeo da se vozi na vašarskim mašinama zbog visokog pritiska. Pričao mu je deda o Isusu Hristu, Nojevoj barci, vaskrsenju i svemu ostalome o čemu nisu učili u školi.

Lazar je vodio računa o svom crvenom balonu kao da je živo biće, da se negde ne zakači, ne probuši, ne isprlja.

*Samo da ga mama primeti.*

Sva njegova nada lebdela je u vazduhu, na končiću. *Samo da se mama vrati.*

– Je li deda, da li ti veruješ u sve one priče o bogu?

– Verujem.

– Stvarno veruješ da je bog pomorio čitav svet i da je spasao samo Noja i njegovu porodicu?

– Verujem.

– Pa to, deda, nije lepo! Zamisli koliko je male dece tada ubio bog da bi sve započeo iz početka.

*Opet šah.*

Lazar je okuražen dedinom šutnjom krenuo u napad.

– A ono, deda, kad bog traži od Avrama da ubije svog sina, veruješ li u to?

– Verujem – tiho će deda.

– Pa ni to nije lepo, deda. Zamisli da bog traži od mog tate da mene ubije? Ja ne volim tvog boga!

– Lazo, dušo dedina, ponekad nas Bog iskušava da vidi da li ga zaista volimo i verujemo li u njega. On hoće da nas nauči da ne gubimo vreme okolo tražeći dokaze o njegovom postojanju, nego da mu se prepustimo srcem i pustimo ga da nas on vodi. Sve nam lepo piše u svetoj knjizi, u Bibliji.

– I ti stvarno sve to veruješ, bez ikakvih dokaza?

– Verujem.

– Pa je li, deda, kako to o bogu sve veruješ, a kad smo malopre prošli pored one klupe na kojoj je pisalo „*friško ofarbano*" ti si morao da pipneš prstom, nisi verovao, iako je lepo pisalo!?

Šah.

*Šah-mat.*

# LICIDERSKA SRCA

Dragan je bio na dobrom glasu kod šabačkih devojaka. Obrazovan, zaposlen, stambeno obezbeđen, a uz to još i naočit mladić. Svestan toga, nije se upuštao u ozbiljne veze, svake godine je dovodio novu devojku na vašar, i svakoj bi kupio licidersko srce za večnu uspomenu.

To je bilo jedino srce koje je bio spreman da im pokloni.

Licidersko srce je najpopularnija vašarska roba, srcoliki kolač, medenjak, obojen voćnim bojama i ukrašen šećernom masom i ogledalcima. Poklanja se kao simbol ljubavi i prijateljstva. Običaj potiče još iz predhrišćanskog doba, a u naše krajeve su ga doneli iz samostana i manastira sa severa. Mnogi se još uvek svađaju oko toga ko ga je prvi napravio – umesto da ga jedni drugima poklanjaju...

Dragan je svakoj devojci kupovao licidersko srce na istoj tezgi, kod bračnog para iz Obrenovca, Sretena i Perse. Oboje su već preturili osamdesetu, a srca su pravili više od pola veka. Dok je Dragan birao liciderska srca za devojke, one su maštale kako će se udati za njega i doživeti duboku starost zajedno, baš kao i ljudi od kojih ih kupuju.

Ali ove godine Sretenove i Persine tezge nema?!

Prošao je Dragan tražeći ih, uzduž i popreko ceo Mihajlovac, dok je njegova najnovija devojka klonula i duhom i telom prateći ga unaokolo. Noge su je toliko zabolele da više nije mogla ni korak dalje.

– Dragane, nije meni to srce važno... Evo ima i drugih tezgi sa srcima, što moraš baš od njih da kupiš? Dragane, molim te... ne mogu više... – žalila se devojka na rubu suza. On bi se na svaku njenu žalbu potrudio da je ubedi kako je potreban samo još jedan korak do Sretenove tezge... i još jedan...

I još jedan...

Tek kad mu je devojka pokazala rane na nogama jer su je nažuljale nove sandale, Dragan se zaustavio. Pristao je, mada razočaran, da joj kupi srce na najbližoj tezgi.

– Dobro veče! – pozdravio je Dragan prodavca, gledajući kritički u izložena medena srca.

– Hajde momak, vidi kako su lepa! Trebao bi kupiti ovo najveće za ovako lepu devojku – nagovarao ga je prodavac.

– Jesu, lepa su vam stvarno. Mogu li se jesti?

– Ma jok, bre!! Stavljam gips unutra da budu čvršća i da duže traju. Svi tako rade danas, nećeš nigde na vašaru naći jestiva.

– Aaaa, pa bio je jedan čovek što je prodavao jestiva – odade se Dragan razočarano.

– Misliš na Sretena?

– Da, znate ga?

– Pa ko njega nije znao, on je bio najbolji licider u celoj Srbiji. Umro je on, pa zar nisi čuo, to je bilo u i novinama?

– Ma nisam, šta mu je bilo?

I otpoče prodavac priču...

– Sreten i Persa dugo nisu imali dece, tek su u poznim godinama dobili sina, Radovana, koji se nažalost rodio mentalno bolestan. Zaokupljeni mukom i brigom oko njega, a verovatno i zbog straha da im se opet zla sreća ne ponovi, više nisu ni želeli drugo dete. I, kako to kod nas često biva, roditelji prikrivaju takvu čeljad, stide se i boga i naroda, pa su i njih dvoje sina držali u kući, malo je ko znao i da ga imaju. Ako su baš negde morali da idu, zamolili bi Sretenovu sestru da dođe da ga pričuva. Voleli su oni njega, svaki čovek voli svoje dete taman da se rodi sa desetero očiju, samo ne mogahu preživeti iščuđavanja i ono *bože sačuvaj* koje je ljudima brzopleto izletalo iz usta. Tako su prolazile godine, decenije, nisu se nikada razdvajali, osim kada su, bez Radovana, dolazili ovde na vašar.

Prva je posumnjala Sretenova sestra da nešto nije u redu, zvala ih je danima, niko nije odgovarao na telefon. Neka ju je nelagoda uhvatila, kao da je slutila, pa je pozvala prijatelja, milicionara, da zajedno odu do Sretena i Perse, i provere šta se događa.

Kad su otvorili stan videli su prizor koji neće zaboraviti celog života, kao što ga ne mogu zaboraviti ni oni koji su pročitali novine. A nećeš ni ti, sad kad ti ovo ispričam.

Sreten i Persa su sedeli u foteljama u dnevnoj sobi, a sin Radovan je ležao na kauču i dremao. Na stolu ispred njih je stajala bajata hrana i čaše do pola napunjene već ukiseljenim mlekom. Toliko je smrdelo da se Sretenova sestra i milicionar umalo ne onesvestiše na vratima.

Tela staraca koja su sedela u foteljama bila su prekrivena velikim belim crvima, koji su migoljili napolje kroz njihove očne duplje iz kojih su već sve pojeli. Izlazili su im iz nosa, iz ruku, iz nogu... iz celog tela!

– Jao, ja ovo ne mogu da slušam! – užasnula se Draganova devojka. Poslali su je na klupu preko puta tezge, da sedne i odmori noge, a prodavac je nastavio svoju priču.

– Kao što rekoh, Sreten i Persa su sedeli mrtvi u foteljama, i raspadali se na toj vrućini u avgustu. U Sretenovu košulju je bila zadenuta velika kuhinjska krpa, kao kad malom detetu staviš siperak da ne pokapa po sebi dok jede.

Na Persinoj glavi su stajale ukrivo zataknute naočare, a u krilu joj je bio daljinski upravljač od televizije koji je već napola utonuo u skapano ljudsko meso. Po telima su im bili zalepljeni flasteri raznih veličina, a noge obmotane debelim zavojima za proširene vene.

Sretenova sestra se ukočila od tog prizora, nije mogla da se pomakne s mesta, sreća pa je tog prijatelja, milicionara, povela sa sobom. Čovek pribran i profesionalan, odmah je pozvao ambulantu i pomoć iz stanice milicije.

– Ma šta kažete! Je li ih sin ubio?

– Ma jok, bre. Nije ni on bio više živ, samo im se učinilo na prvi pogled da je dremao na kauču. Kad su odneli njihove ostatke na autopsiju ustanovili su da je prvo umrla Persa, i to najprirodnijom smrću, pa njoj je bilo već osamdeset šest. Pretpostavljaju da je odmah nakon nje umro i Sreten, od srčanog udara, a možda i od tuge za njom, ko će ga znati. Bili su zajedno skoro sedamdeset godina, desi se to često kod tako starih parova, čim jedno umre i drugo za njim ode. A slušaj sad ovo.

Kad su oni umrli, Radovan je smestio njihova tela u fotelje, i nastavio da brine o njima kao da su živi. Kako su se oni brinuli za njega tolike godine, tako se sada i on brinuo o njima. Donosio im je pivo, vodu, mleko, doručak, ručak, večeru. Hranio ih, bre, na kašiku, stavljao salvete da se ne pokapaju! Nije on ni shvatio da je ostao sam, mislio je da su još živi i brinuo se o njima kao što bi svaki zdrav čovek uradio za svoje roditelje! Pa i one flastere po telu, on im je polepio, valjda je pokušavao da začepi rupe crvima da ne izlaze više napolje.

Kad je potrošio svu hranu koju su imali u kući razboleo se i Radovan, što od gladi, što od pokvarenih stvari koje je pojeo. Šta je mogao jadan, nikad u životu nije izlazio iz stana, nije ni znao da postoji prodavnica, valjda je mislio da namirnice rastu u frižideru. Pa i da zdravog čoveka zatvoriš da tako živi, ne bi više bio normalan nakon četrdeset pet godina!

Pretpostavljaju da je umro u velikim bolovima od gladi i infekcije, zato se i sklupčao na kauču pored majke i oca, verovatno je očekivao da će mu roditelji pomoći da ga stomak više ne boli.

A vidi sad, što ti je interesantna stvar! Imali su u stanu četiri pune kutije liciderskih srca i to onih starinskih, jestivih. Sreten je stvarno bio veliki majstor, imao je neki recept kako da smesu napravi tvrdom, a da se topi u ustima. Radovan je znao za ta srca, često su mu davali po koje kao poslasticu, ali nije hteo da ih dira i jede, znao je da ih je otac slagao u kutije za nešto specijalno svake godine. A mogao ih je jesti i još poživeti, spasila bi ga tetka sigurno kad je došla. Vidiš šta je tu čudno, takav bre zaostao i bolestan, a umro od gladi jer nije hteo da pojede očeva liciderska srca bez odobrenja. Što ti je poštovanje, a svako bi ih zdravo dete uzelo bez pitanja!

– Baš tužno – ganuto reče Dragan.

Pogledao je unaokolo šarene medenjake, kao da gleda u tragove koje su Sreten i Persa ostavili iza sebe. Nikada nije ni pomislio da bi čovek mogao toliko voleti… toliko da umre od ljubavi… od poštovanja… Spustio je novčanicu na tezgu, zahvalio ljubazno prodavcu, ali ništa nije kupio.

Devojka ga je strpljivo čekala na klupi. Kad ga je videla praznih ruku obuze je sumnja da se predomislio, da mu nije vredna poklona. Pognula je glavu od stida da se ne rasplače.

Osetila je krupne, tople dlanove na svojim obrazima.

– Ne treba tebi nikakvo srce od gipsa, imaš moje srce – rekao joj je nežno i poljubio je.

I zaista, istinu joj je rekao.

U decembru se Dragan oženio devojkom kojoj nikada nije poklonio licidersko srce.

# LEKOVITA RAKIJA

Gavrilova tezga uvek najlepše miriše.

Miriše na proleće, leto i jesen, na srpske livade, šume i jezera, miriše na behar, na cveće, na sušeno voće. Miriše na detinjstvo i bakine čajeve. Svako ko prolazi pored njegove tezge zastane, makar na tren, da udahne duboko tu aromu koja leči i osvežava.

Gavrila su nazivali *doktorom,* mada nikada nije išao ni u kakvu školu u kojoj se učila medicina. Nije završio ni osmogodišnju, jer je bila predaleko od njegovog sela u okolini Valjeva. Gavrilov otac se bojao da pusti dete samo u školu, da ga negde na putu ne napadnu vukovi. Učio je kod kuće, iz knjiga koje bi mu doneli iz grada, i često preskakao stranice koje su mu bile nejasne. Ali i bez škole, Gavrilo je razvio talenat kojim je bio obdaren i postao nadaleko poznati travar u Srbiji. Što bi se reklo u našem narodu, *za neke stvari čovek mora da se rodi.*

Svake godine je donosio sveže travke i tinkture na šabački vašar, ne da bi se reklamirao ili obogatio, nego da bi ljudima pomogao i uštedeo im put do njegovog sela, do kojeg se još uvek nije probio asfaltni put.

Gavrilo je bio visok preko dva metra, naočit i snažan čovek. Nosio je opanke i vezene čarape, a uz desnu nogu, ispod kolena, bio mu je pričvršćen oštar nož kojim bi odmah posekao kakvu lekovitu travku kad je spazi u travi. Čak i tu, na Mihajlovcu, često bi se saginjao i skupljao biljke preko kojih bi ljudi inače pregazili ne shvatajući njihovu vrednost.

Imao je pedesetak godina i nikad se nije ženio. Meštani iz njegovog sela su govorili da je *malo čvrknut* i da su ga čuli kako priča sa biljkama.

Stare mušterije su iz godine, u godinu, željno iščekivale Gavrila na vašaru, jer su verovali travama više nego lekovima koje su im prepisivali lekari. Što bi se trovali sintetikom i hemikalijama, kad je priroda podarila toliko lekova na svakoj livadi i drvetu. Okružili su Gavrilovu tezgu kao roj bolesnika, nadvikivali se i raspravljali čiji je problem veći i važniji, svako je svoju muku objašnjavao i tražio od njega nešto za brzo izlečenje.

– Imaš li nešto za visok holesterol? – pita ga raskošno popunjena gospođa na čijoj su zategnutoj bluzi dugmići gubili dah od napora.

– Evo gospođo, ovo vam je najbolji lek, tinktura od belog luka i crnih kupina – dodaje joj Gavrilo bočicu. Gospođa kupuje četiri bočice, da joj traju do iduće godine.

– Imaš li nešto za mladence, ne može kćerka da mi zanese? – pita ga zabrinuto postarija žena.

– Imam gospođo! Najčistija medovina, samo trinaest posto alkohola! Treba mladenci da je piju svake noći celih mesec dana i da vredno rade kao na medenom mesecu! Garantujem trudnoću!

– Gospođo, ja se lično preporučujem, ako mladoženji treba pomoć – dobacuje mladi čovek sa crnim šeširom.

Ljudi se nasmejaše, svi, osim žene koja je potegla pešice osam kilometara da kupi lek za kćerku.

– Doktore, imaš li šta protiv znojenja i smrada nogu? – pita postariji čovek. Gavrilo mu pruža tinkturu od lovora koja, kaže, ne samo da sprečava znojenje nego i odmara noge.

– Znate li zašto vam noge smrde? – dobacuje opet šaljivdžija.

– Ne znam – odgovara mu zbunjeno čovek.

– Pa zato što vam rastu iz stražnjice!

Narod se smeje.

– Imaš li, doktore, nešto za upalu ždrela? – interesuje se jedna baka.

– Med od zove i hajdučice – dodaje joj Gavrilo teglicu.

– Doktore, muž mi je onemoćao, znate u onom smislu… – žali se tiho sitna žena crne kose.

– Ne trebaju vam trave gospođo, menjajte starog muža za dva mlađa! – čuje se šaljivdžija. Svi se smeju, samo je posramljena žena crne kose pognula ćutljivo glavu… *Što mi je i trebalo da pitam pred svima…*

– A imaš li nešto za mršavljenje? – pita raskošno popunjena gospođa koja je već kupila lek za visok holesterol.

– Nisam siguran… – odgovara Gavrilo, ali ga preseče šaljivdžija:

– Evo gospođo! – pruža joj iz svoga džepa plastičnu kašičicu kojom je malopre pojeo sladoled i objašnjava:

Za doručak pet kašika, za ručak deset, a za večeru dve, kakve god hrane želite! Garantujem rezultat!

Narod se smeje, dok se korpulentna gospođa zajapurila kao crvena paprika i ljutito napustila tezgu.

Malo po malo, nasmejana graja se raščistila i ostadoše sami Gavrilo i mladi čovek s crnim šeširom.

– Vidim, voliš da se šališ s ljudima – reče Gavrilo.

– Pa i smeh je zdravlje, znam da se neki pomalo i uvrede, ali zbog povređene taštine još niko nije morao u bolnicu.

– Da ti nisi jedan od onih što se šegače unaokolo... hmm ... kako ih ono zovu, čivijaši?

– Jesam.

– A što vas tako zovu?

– Neki je šabački mangup podvalio knezu Mihailu: izvadio je čivije iz točka njegovog fijakera, pa kad je ovaj krenuo nazad u Beograd, otpade taj točak, kola se prevrnuše i knez završi pored puta, u prašini. Navodno je, onako ljutit, dok je otresao sa sebe prljavštinu, umesto psovke uzviknuo: Čivijaši!

– Kako se zoveš, junače? – upita ga Gavrilo i pruži mu ruku da se upoznaju.

– Ljubomir, drago mi je!

– E i meni je baš drago, Ljubomire, što sam te upoznao. Hoćeš li da popijemo po jednu rakijicu dok se opet ne stvori gužva?

Ljubomir je klimnuo glavom, skinuo šešir i seo pored Gavrila na drvenu klupu iza tezge. Gavrilo je izvadio čuturicu urađenu u duborezu.

– Baš lepa čutura! – prokomentarisa Ljubomir.

– Da, sva je od drveta, nema staklo unutra – objašnjava mu Gavrilo dok sipa rakiju u dve drvene čašice.

– Uh, što je dobra! – oduševljeno će Ljubomir dok je zagledao drvenu čašicu i njen sadržaj. Zadovoljno je pijuckao, nije se ni nadao ovakvoj časti. Kopkalo ga je da li je rakija nešto specijalno.

– Da li ova rakija leči nešto? – okuraži se da upita.

– Leči sve. Ali od jedne čašice nema vajde, moraš popiti najmanje tri.

– Ja bih od ovog vašeg biznisa napravio milione, nisam ni na jednoj tezgi video da ljudi toliko kupuju, a vi svoje lekove dajete u bescenje.

– Pa znaš kako, Ljubomire, za lek je sramota naplaćivati, zato uzmem ljudima tek toliko da otplatim put i troškove ambalaže, nešto mi ostane da kupim zalihe za kuću da prezimim.

– Šteta, dobar biznis! Pogotovu bi se moglo zaraditi na debelim ljudima, kupili bi bilo šta da smršaju, samo da ne moraju da gladuju.

– Hoćeš li još jednu? – prinosi čuturicu Gavrilo.

– Sipaj more – raspoloženo će Ljubomir dok pruža praznu čašicu prema Gavrilu. – A kako vi znate koja trava šta leči?

– Kažu mi one same – ozbiljno odgovori travar. Ljubomir ga pogleda u čudu, a Gavrilo mu objasni:

– Znaš, ona jutarnja rosa što se skuplja po biljkama, nije to obična kondenzacija kako ljudi misle. Nije ona nastala od prirodne vlažnosti, nego od naših suza isplakanih zbog raznih muka, bolesti i nepravde. Ta rosa je glavni sastojak svakog leka kojeg napravim. Sve dok plače srpski narod biće mu i leka, ako prestanemo plakati to će nam biti kraj.

Ljubomir klima glavom kao da razume:

– Znači tajna je u rosi, a ne u biljkama?

– Tako je. Ono zbog čega je rosa isplakana, najbolje toj muci i pomaže. Ako skupim rosu u noći punog meseca onda ona ima ista svojstva kao i biljka. Tako pravim mnoge kapi za oči i tinkture za žuč i jetru. Ako je skupljam rano ujutro onda moram i listove biljke da odsečem, a ako dočekam podne kada je rosa već usahnula, onda moram da vadim celu biljku iz korena.

– Šta rekoste, ova rakija sve leči? – priupita Ljubomir pijući drugu čašu.

– Sve leči. Ako te išta boli, odmah će prestati. Bićeš imun na sve bolesti ovoga sveta. Kosa ti nikada neće osedeti, zglobovi te nikada neće zaboleti. Koža će ti uvek biti mladalačka i nikada nećeš imati bore. Bićeš uvek energičan i poletan prema ženama, znaš na šta mislim.

– Znam, ha ha!

– Ali kao što sam ti i rekao, moraš popiti tri čašice. Na tebi je odluka, hoćeš li da ti sipam?

Ljubomira obuze čudno uzbuđenje, nije mu samo jasno zašto ga travar to uopšte i pita? Pa šta tu ima da se odlučuje, ko ne bi popio takvoga leka? – Sipaj!

Gavrilo mu je nasuo rakiju iz drvene čuturice i on je energično iskapi u jednom gutljaju.

– Auh, što je dobra!!! Kako je na vas delovala? – znatiželjan je Ljubomir.

– Ne znam, nisam nikada popio treću čašicu. I da ti iskreno kažem, ti si prvi koji se usudio da to uradi.

– Molim? Kako to? Ne razumem!

– Pa vidiš, ova rakija je čudesna stvar, pravi eliksir života. Sad kad si je popio ona ti je zaustavila proces starenja, živećeš večno i uvek imati toliko godina koliko imaš danas.

– Da živim večno s ovih tri'est pet godina? – iznenađen je Ljubomir. – Pa šta to znači, da će me sopstvena deca prerasti?

– Da, i žena, i deca, i svi koji su danas oko tebe, nestaće jednoga dana, ali ti ćeš uvek biti tu, zdrav i prav.

Ljubomir je zbunjen ćutao i razmišljao. *Kakav je život u kome se sve menja, samo si ti uvek isti? Kakav je život bez iskušenja, bez iščekivanja, bez nadanja… kad već unapred znaš da se za tebe ništa neće promeniti?*

*Kako li je tek bolan rastanak sa onima koje najviše voliš i susret sa onima koje ćeš posle voleti, kad unapred znaš da se i od njih opet moraš rastati?*

*Kako možeš saosećati sa ljudima kada te ništa ne boli, kad si samo nepovredivi posmatrač?*

*Vremenom će sve postati nevažno. Biću kao plastični kolač u izlogu poslastičarnice, postavljen za dekoraciju. Svi oko mene će biti pravi kolači, kupljeni i pojedeni u slast, a ja ću odolevati suncu i muhama do u beskonačnost. Ako sam besmrtan, ne znači da sam sretan…*

– A od čega ono rekoste da je rakija? – progovorio je kad se sabrao.

– Od dudinja, vilinske kose i zmijskog otrova.

– Kosa vile? – skeptično će Ljubomir, nadajući se da je razotkrio travarevu šalu.

– Ma jok, bre. Vilinska kosa je korov, oplete se oko biljke kao tanana nit i hrani kao parazit, čak ni korena ne pusti. Ona je glavni sastojak rakije, jer zaustavlja starenje. Onaj ko je popije poprima to svojstvo da uvek preživljava dok drugi stare i umiru. Baš kao i vilinska kosa, postaćeš apsolutno slobodan, jer će ti se s vremenom izgubiti koren.

– A zmijski otrov?

– A tu dolazi u obzir samo otrov poskoka ulovljenog na pragu neke ruševine. Može to biti neka stara kuća ili manastir, kažu da poskoci čuvaju napuštena ognjišta. Ali ne smeš ga ubiti, samo iscediti otrov iz zuba i pustiti ga. Poskokov otrov je taj koji ti daje večitu imunost na bolesti.

– A dudinje? – Ljubomira je već hvatala panika.

– Pazi sad, dud mora biti crni, što je kiseliji to je bolji. On ti leči i čuva sve unutrašnje organe. Prvo se napravi rakija od duda, pa se posle pomeša sa ostalim sastojcima. Kad je sve gotovo, mora se sipati u drvene čuturice od orahovine, baš kao ova iz koje sam ti sipao rakiju. Eto, moj Ljubomire, dadoh ti čitav recept na poverenje, pa ti sad kako hoćeš, započinji taj svoj milionski biznis.

– Ma kakav crni biznis, kome ću ovo prodavati? I ja da sam bolje razmislio ne bih ovo nikad popio! – kajao se iskreno Ljubomir – ima li leka protiv ovoga?

– Pa da ti kažem iskreno, do sada nije bilo potrebe za tim, jer niko nije hteo da popije zadnju čašicu. Mogu jedino da ti obećam da ću se baviti time, pa ti svrati dogodine opet ovde na vašar, možda se nađe nešto – obeća mu Gavrilo utešno i ustade sa klupe jer je dolazila nova grupa ljudi sa svojim boljkama i problemima.

Ljubomir natače šešir i krenu svojim putem. Iako ga je nešto preseklo u stomaku, uspeo se nasmejati sebi u bradu.

Nadao se da je, umesto lekovite, popio čivijašku rakiju.

# PRIČA O TIGRU

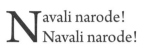

Navali narode!
Navali narode!
Bengalski tigar dugačak četiri metra! Najveći tigar u Srbiji!! – uzvikivao je crnomanjasti čovek koliko ga grlo nosi. Ljudi su se radoznalo okupljali oko velikog kaveza pokrivenog ciradom. Deca su se otimala od odraslih i gurala u prve redove da vide tigra iz blizine.

– Navali narode! – vikao je vlasnik kaveza dok je prolazio između ljudi i naplaćivao atrakciju koja sledi. Kada je ocenio da se okupilo dovoljno gledalaca pompezno je skinuo ciradu s kaveza, a iza rešetaka se ukazala velika uznemirena mačka!

– Ijuu koliki je!!!
– Auuu!!! – divila su mu se deca uzbuđeno.
– Stvarno je ogroman!
– Nemojte prilaziti blizu! Ne lupajete po kavezu, mnogo je opasan! – upozoravao ih je vlasnik. Ljudi su ustuknuli unazad, zgrabivši decu za ruku. *Nikad se ne zna.*

– Čime ga hranite? – radoznalo upita Lazar.
– Neposlušnom decom – odgovori vlasnik s osmehom.
– Ma, ozbiljno?

– Hranim ga mesom, osam kila mesa dnevno – odgovara čovek dok stavlja veliki odrezak na štap i gura ga kroz rešetke u kavez. Tigar skoči na meso i sčepa ga halapljivo. – U prirodi love srndaće, divlje svinje i goveda, ali im ponekad ljudi postanu glavna hrana jer su lak plen.

– Je li muško ili žensko? – dobaci jedan mladić.

– Muško, zar ne vidiš.

– A odakle ti ovaj tigar?

– Nasledio sam ga. Njegov je predak onaj čuveni tigar što je vodio ljubav s muškarcima.

– Ma daj, šta pričaš leba ti?! – odmahnu neko iz publike u neverici.

– Kakve gluposti! I to pred decom! – uvređeno će punačka žena dok sinu pokriva uši rukama.

– Hajde, sklonite se vi osetljivi, koji nećete da slušate! – dobacuje visoki čovek, ali niko se ne pomače s mesta. Znatiželja je često jača od bilo kakvog morala. I vlasnik započe svoju priču o tigru koji je voleo muškarce.

– Nekada davno, pre četiri stotine godina, u dalekoj Indiji, vladala je carevina Mugala. Jedan od njenih vladara, princ Salim, je živeo u Agri, koja je danas poznata po čuvenom Tadž Mahalu. Imao je lepu ženu koja se zvala Nur-Džahan, što u prevodu znači „Svetlo sveta". Princeza je mnogo volela umetnost, pa je često u njihovoj bogatoj palači okupljala slikare i pevače. Iz cele Azije su dolazili pesnici, učenjaci, filozofi i oficiri da je posete i pokažu pred njom svoju umešnost i remek-dela. Princ Salim je poštovao umetnost, ali je mnogo više voleo borbe životinja. Posedovao je menažeriju od dve stotine borbenih životinja, što divljih, što domaćih. Jedne večeri, kada su organizovali u svojoj palači prijem za uvaženog kraljevskog gosta, Princ Salim je naredio da dovedu bika i tigra iz njegove menažerije, i da organizuju borbu nakon kraljevske večere. Princeza Nur-Džahan je za tu svečanu priliku dovela grupu svirača, jogija, da sviraju za vreme borbe. Ti jogiji su bili veoma religiozni, te nisu nosili mnogo garderobe; bili su u stvari skoro goli, samo bi se obmotali belim krpama da pokriju stražnjicu i ono spreda. Kažu stari zapisi da je bilo nekoliko stotina zvanica te noći. Pustili su tigra i bika u ograđeni prostor, ali tigar uopšte nije bio zainteresovan da se bori. Šetkao se unaokolo i paradirao svoju snagu. Bio je strašan, ali i divan. Tako je šetkajući se spazio jednog od jogija svirača i skočio na njega preko ograde. Bacio ga je svom težinom na zemlju i uradio mu sve ono što bi uradio i sa svojom ženkom!

– Auu, neverovatno! – čuše se komentari iz publike. Ljudi su stajali kao ukopani, očekuju nastavak priče. Deca bi se i pomakla, ali ih roditelji ogradili rukama, nemaju gde mrdnuti.

– Kad je tigar završio sa jogijem uskočio je nazad u ograđeni prostor da se bori s bikom. Raščerupao je bika na komade i otišao za svojim čuvarima mirno nazad u kavez. Možda bi se sve to i zaboravilo da se nije opet dogodilo.

– Ma šta kažeš???

– Jeste, jeste i to još mnogo puta. Kad god bi doveli tog tigra na borbu, on bi prvo odradio ono sa nekim muškim iz publike, pa tek onda se vratio bikovima.

– Osladilo mu se!

– Ne mogu da verujem!

– Stani, stani, nije tu još kraj priče. Princ Salim je sve češće organizovao te borbe, o tigru se pročulo nadaleko, pa su počeli da dolaze ljudi iz cele mugalske kraljevine, iz Irana, Iraka, otomanskog carstva, čak i iz daleke Kine. I to sve muškarci!

Zabrinula se princeza Nur-Džahan. Vidi da princa Salima nema više u kraljevskoj postelji, potomka još nemaju, a on sve bliže sedi ogradi gde tigar uvek napada, kao da se nada… I tako jedne večeri, odluči ona da krišom ode na borbu, da proveri šta se događa, kad tamo – tigar oborio princa Salima i radi mu sve baš kao što bi i svojoj ženki!!! Pogleda princeza svog muža u lice, a on onako zgnječen pod tigrom zatvorio oči i blaženo se smejulji. Kad mu je videla tu dragost na licu, proklela je i njega i sve muške koji su to gledali da im se potomci sa tigrovim prugama rađaju!

– E dobro im je vala rekla! – odobrava starija gospođa.

– Ma, gospođo, nemojte biti naivni, to je samo legenda! – obraća joj se dugokosi student.

Lazar je pogledao u dedu, pa ga tiho upitao:

– Veruješ li ti deda da je to stvarno bilo?

Deda je samo zavrteo glavom levo, desno. Lazar se pokunjio razočaran. Nakon svega čudnog što je deda verovao, očekivao je da i u ovu priču poveruje.

– Ima li kakvih dokaza za tvoju priču? – zapitkivali su ljudi u neverici vlasnika tigra.

– Da, ima dokaza. Ja sam lično potomak jednog od posetilaca te predstave pre četiri stotine godina!

– pomalo uvređen što mu ne veruju, odgovara vlasnik tigra. – Gledajte! – okrenuo se leđima publici i zadigao majicu. – Evo, vidite li tigrovske šare na mojim leđima?!

– Auuu!!!

– Vidi stvarno!!!

– Je l' mogu da ih pipnem? – pita Lazar.

– Pipni slobodno! – samouvereno će vlasnik tigra.

– PRAVE su deda!

– Bogami prave! – potvrđuje još jedan neverni Toma.

– E nek' sam i ovo videla!

– Vidi sine, pipni i ti!

– Može li jedna slika?

– Može, može samo škljocaj!

Potraja komešanje oko čoveka-tigra…

Nakon pola sata raziđoše se gledaoci, još komentarišući priču koju su čuli, a čovek-tigar ostade sam sa svojim životinjskim rođakom. Pokrio je opet kavez ciradom, zavukao se unutra i nežno pozvao tigra: Hodi, Miško!

Tigar mu poslušno priđe. Vlasnik ga pomilova nežno po glavi, a on ga obliznu po ruci kao umiljato mače…


– Zašto, deda, ne veruješ onom čoveku? – nije odustajao Lazar dok je vezao sebi još jedan čvor oko ručnog zgloba na vrpci na kojoj je lebdeo crveni balon. Već ih je svezao pet, ali još jedan neće škoditi. *Balon se ne sme izgubiti, kako bi ga mama pronašla u takvoj gužvi?*…

– Ama, Lazo, ne verujem da se mogu tek tako pomešati fizičke karakteristike ljudi i životinja. Video sam ja takve pruge i ranije... – nije deda ni dovršio, a Lazar ga prekida:

– A anđeli, deda, zar nemaju tela kô ljudi, a krila kao ptice?

Vidi deda da ne vredi da se raspravlja s detetom.

– Hoćeš li da se vratimo kod onog čoveka da ga pitamo još jednom?

Lazar klimnu zadovoljno glavom i krenuše nazad kod čoveka-tigra. Našli su ga pored kaveza, pokrio je lice kačketom i dremuckao u stolici.

– Pa ne možemo sad da ga budimo – tiho će deda.

– Ma budan sam ja, samo izvolite! – oglasio se čovek-tigar skidajući kapu.

– Ne bih da vas uznemiravam, hteo sam samo da vas zamolim da ispričate mom unuku kako ste zaista dobili te pruge, platiću vam isto kao i za predstavu.

Čovek-tigar ih je pogledao, pa im se nasmejao sa simpatijom: – Hajde sedite!

Pokazao im je rukom na prazne stolice.

– Nema potrebe da mi plaćate, istina je uvek besplatna, samo je treba prepoznati. Nisam samo siguran da bi to trebalo da pričam pred detetom?

– Ma nema problema, on je zreo dečak, razumeće – razuverio ga je deda.

I poče čovek-tigar priču, u kojoj nije bilo ni lepe princeze, ni jogija svirača. Umesto borbi životinja, borbe su se vodile među Srbima i Hrvatima, strašnije i krvoločnije od bilo koje borbe iz kraljevske palače princa Salima. S vremena na vreme, čovek-tigar bi prekinuo priču i pogledao u dedu, kao da traži odobrenje da nastavi dalje, da ne pretera pred detetom. Deda bi mu samo klimnuo u znak odobravanja i on je nastavljao tamo gde je stao.

Lazar je strpljivo slušao, priča iz blatnjavih rovova i miniranih polja nije slutila na dobro. Deda mu je uvek govorio da je rat najveća nesreća koja može zadesiti čoveka, da u ratu nema pobednika…

I zaista, okrutna bajka koju mu je čovek-tigar pričao završila se u nekom logoru, u kojem su zarobljeni vojnici mučeni glađu, i bičevani danima…

– Eto, sad znaš kako sam dobio tigrovske pruge – pomilovao je čovek-tigar Lazara po glavi, ustao iz stolice i krenuo prema kavezu. Otkrio je deo platna sa kaveza i zovnuo tigra: Hodi Miško!

Tigar je prišao i naslonio lenjo glavu na rešetke.

– Hodi 'vamo, možeš slobodno da ga pomiluješ!

– Smem li deda?

– Smeš, samo skini taj balon s ruke. Daj, ja ću ti ga čuvati.

Lazarevi prsti uroniše u mekano svilenkasto krzno, a tigar se namestio kao da je ceo dan baš njega čekao da ga češka po glavi.

– Kako je samo pitom, a tolika zver! – uskliknuo je Lazar.

– …nije Miško …ljudi su zveri… – tiho, sebi u bradu promrmlja čovek-tigar.

Zahvališe mu na poverenju i poželeše mu zdravlje i sreću. Svezali su opet crveni balon za Lazarevu ruku i krenuli puteljkom kroz vašarsku gužvu…

# UŠEĆERENA JABUKA

Nikola se uvek osećao neprijatno kada bi ga upitali gde se rodio. Naročito mu je bilo neugodno pred onima koji su bili privilegovani da se rode u glavnom gradu. Obično bi promrsio neku šalu umesto odgovora, ali bi se zacrveneo, jer je bio čestito odgojen i nije umeo vešto da laže.

Istina se zvala selo Lipolist, i u toj istini su živeli njegovi vredni i pošteni roditelji. Imali su veliko domaćinstvo sa kokošinjcem, svinjcem i ambarom.

Nikolin otac je bio krupan i ponosan čovek, a majka lepa i tiha žena koja je godinama dobijala nagrade za uzgoj cveća, po čemu je ceo kraj i bio poznat.

Kada je Nikola bio mali nije imao problema sa svojim poreklom. Rastao je na prostranim pašnjacima, po okolnim šumama i voćnjacima. Trčao je sa mlađim bratom po obroncima Cera, baš kao Tom Sojer i Haklberi Fin. Jeli su pečurke i divlje voće, a posle plakali majci kako ih boli stomak i kako će umreti.

Njegova se istina o poreklu narušila polaskom u srednju školu u Šapcu, a dokrajčena je u Beogradu gde je živeo i radio po završetku studija.

Otkako je dobio zaposlenje u svetu dizajna retko je navraćao kući, ali je obećao da će doći u posetu baš za vreme vašara. Poželeo je da vidi roditelje i mlađeg brata koji nije želeo da studira već je odabrao da sa roditeljima obrađuje imanje.

Doleteo je u Beograd rano tog jutra sa konferencije iz Londona, zapakovao poklone koje im je kupio, nešto malo garderobe za sebe i zaputio se autom u Lipolist. Dok je vozio u selo svojima, zamišljao je koliko su se izmenili od njihovog poslednjeg susreta...

Majci je u Londonu kupio na dar parfem, ali je već unapred znao da će ga ona pokloniti nekome ili čuvati godinama zaturenog među posteljinom u ormaru.

*Ni onu kremu za ruke što sam joj doneo prošli put, siguran sam da nije još koristila... ruke joj ogrubele od okopavanja, uvek joj je crno pod noktima...*

Ocu je kupio svilenu kravatu, u ekskluzivnom butiku u Oksford ulici, zelenu sa asptraktnim zlatnim listićima. Znao je da će je otac staviti samo za nečiju sahranu ili venčanje, a može se desiti da takve prilike ne bude još za koju godinu.

*Ni onaj sako od somota što sam mu kupio, nikada nije obukao... Verovatno će ga moljci pojesti. ... Uvek je u nekoj iznošenoj odeći...*

Bratu je kupio muzičku kolekciju operskih velikana, iako je već znao da će ih brat slušati samo dok je on u gostima, da ga ne uvredi, a posle će opet preći na *Cicu*, *Micu*, i ostale cica-mace.

*Ni onu knjigu što sam mu poklonio o istoriji slikarstva sigurno još nije otvorio...*

*Ništa ga o umetnosti ne zanima…*

*Preživeću valjda ovu posetu*, razmišljao je Nikola. Pretpostavljao je da će ga roditelji odvesti na vašar. On će se svakako pretvarati da mu je lepo, zbog njih, da njima ne kvari raspoloženje, a posle će se danima pitati što mu je sve to trebalo.

*Šta ću ja na vašaru?*

U Lipolist je stigao oko podne.

Izgrlili su se i izljubili, pojeo je komad majčine pite i podelio im poklone.

Pričao im je utiske sa nekih svojih putovanja, Madrid, Pariz, Kairo, London; koga je sve važnog upoznao i koji će svetski produkti imati ambalažu koju je on lično dizajnirao. Otkrio im je i poslovnu ponudu koja je još uvek bila tajna, čuveni *Cartier* mu je ponudio da dizajnira liniju muških satova, ali nigde u njihovim zenicama nije video blesak ponosa i zadivljenosti… Činilo mu se da je sva njihova koncentracija usmerena na odlazak na vašar…

Kasnije tog popodneva pomogao je majci da zapakuje cveće koje je nosila da proda na vašaru, dok su otac i brat detaljno oprali auto za tu svečanu priliku. Nikola im je ponudio da idu njegovim BMW-om, ali otac nije hteo ni da čuje, rekao je da neće da paradira tuđim perjem…

Na putu do Šapca, u tih dvadesetak kilometara, očev auto je po blatnjavom putu postao prljaviji nego što je bio pre pranja, a majčino se cveće razbolelo od sparine.

Kada je otvorio vrata automobila da izađe na Mihajlovcu, Nikoli se činilo kao da ga neko isteruje u svet kojem ne pripada. Znao je da mora izaći iz auta, ali noge nisu htele napolje. Kao da je na livadi oživela slika iz dečje slikovnice, sa velikim šatrama, ringišpilom i plastičnim konjićima koji se neumorno vrte u isti krug.

– Hajde sine! – pogurala ga je mati, kao da je osetila njegov strah.

Nije voleo vašar.

Užasavao se gužve, rumenih obraza i mirisa znoja. Bojao se pogleda zapečenih očiju životinja sa ražnja, prepirki koje su tekle uz šljivovicu, i žena u čijim je osmesima uvek nedostajao poneki zub.

Otac se pozdravljao i otpozdravljao.

Reklo bi se da su mu svi ti ljudi na vašaru rođaci. Ako nisu rođaci, onda su kumovi. Ako nisu kumovi, onda su rođaci od kumova, a to je opet kao da su njegovi najrođeniji.

Brat je gubio svest gledajući za devojkama. Kao da su klonirane došetale na vašar iz nekog muzičkog spota. Slične frizure, šminke, kratke haljine... mirisale su na egzotične parfeme, kikotale se i vrebale pažnju...

Majka je na brzinu prežalila svoje usahlo cveće i odmah započela sa utešnom kupovinom redom po tezgama; od amaterski izrezbarene ikone svetog Nikole, po kojem je on i dobio ime, do već upotrebljenih stvari koje nikome nisu bile potrebne. Neće trebati ni njoj, ali ona će ih kupiti nekoliko jer su toliko jeftine da ne može da odoli. *Pa neće valjda sa vašara nazad praznih ruku?*

Nikola ih je pratio ćutke.

Često bi pogledao na sat, da proveri koliko mu još muke preostaje. Pazio je da se neko u toj gužvi ne očeše o njega u prolazu, *k'o zna kakvih sve boleština ima pod tim šatrama.* Iako je izbegavao lokve, nogavice pantalona su mu već bile zaprljane i to ga je baš nerviralo.

Nije imao želju ni da jede ni da pije, ali majka je bila uporna da mu kupi ušećerenu jabuku.

– Hajde, sine, majci za ljubav! Kad si bio mali dosađivao si mi svaki dan cele godine, nisi mogao da dočekaš vašar zbog ušećerenih jabuka!

– Dobro de, kad si navalila – popustio je majci za ljubav. Brat mu je, onako iz fazona, nabacio šajkaču na glavu, da ga uslika, a mati mu tutnula u ruku jabuku na štapiću.

Zagrizao je jabuku i sav se umazao oko usta karamelisanim šećerom. Nije još ni progutao prvi zalogaj, kad je začuo poznati glas kolege iz Beograda:

– Nikola, jesi li to TI??

Osećao se kao idiot.

Da je samo mogao da propadne u zemlju.

Ali ona se nije otvarala. Zatvorio je oči u nadi da će ružna scena nestati, ali kada ih je otvorio, opet se suočio s poznanikom.

– Zdravo Igore! – pozdravio je čuvenog beogradskog fotografa. – Otkud ti ovde?

– Ma, evo me po službenoj dužnosti, hvatam slike ovih pevača između dva masna zalogaja. Šta da radim, naručili ih za Politiku. Sutra uveče letim za Rim, nadam se da ću se tamo oporaviti od ove parade pijanstva i kiča. A šta ti radiš ovde? – iznenađeno će Igor.

Između Igorovog pitanja i Nikolinog odgovora prošla je čitava večnost.

A *večnost* je vremenska jedinica u kojoj je Nikola tragao za odgovorom u kojem će objasniti da se slučajno zadesio tu, da ovi što stoje iza njega nisu njegova mati, otac i brat, da ne voli ušećerene jabuke i da ne zna otkud mu šajkača na glavi. Kad bi samo taj zalogaj ušećerene jabuke koji je držao pod jezikom bio otrovan kao u bajci o *Snežani*, kad bi samo pao tu mrtav da ne mora da objašnjava... Kad bi samo moglo da se desi neko čudo...

Konačno je progutao komad jabuke koji mu se još krio pod jezikom. Oseti kako mu taj zalogaj donosi hitrost u noge, baš kao nekada, kad je jurio brže od šarplaninca koji im je čuvao ovce.

Učinilo mu se da mu se vraća spretnost u rukama, baš kao nekada, dok je bio dečak, kad je golim rukama mogao da uhvati ribu u Savi.

*Ima nešto u ovoj jabuci...*

Zagrizao je još jednom. U glavi mu se razbistriše misli, baš kao onda kada je tačno znao koliko proplanaka i brežuljaka ima na Ceru.

*Ima nešto...* Zagrizao je halapljivo.

– Došao sam na vašar sa roditeljima i bratom – progovori punim ustima i pokaza na njih rukom.

– Ja sam ti iz ovog kraja, iz sela Lipolist. Čekao sam k'o zapeta puška cele godine da dođem da pojedem najbolju ušećerenu jabuku. Baš sam se sinoć izvinio na konferenciji u Londonu i doleteo ovamo da ne propustim vašar.

Kolega fotograf se zbuni, bi mu neprijatno, pa im zažele laku noć i nestade u gužvi...

Na povratku kući vozili su se ćutke.

Lice njegovog brata sijalo je od sreće, baš se dobro proveo. Išao je sa Nikolom na pivo i pljeskavice. Gledali su devojke i komentarisali čije su grudi prave. Mnogo mu je nedostajao Nikola otkako se preselio u Beograd, najviše je voleo da se druži s njim... *a večeras je Nikola bio onaj stari, baš kao nekada, kad su bili deca...*

Majka je tiho pevušila. Kupila je ikonu, plastične posude za salatu i porcelansku vazu, malo okrnjenu doduše, ali jeftino... *A Nikola je, sunce njeno, uvenuo gore od cveća kada je morao da izađe iz auta na vašar... Kao da se stideo i plašio svega od čega je potekao. Ali posle je tražio da mu kupi još jednu ušećerenu jabuku... i još jednu... Pojeo ih je četiri, valjda ga neće noćas stomak zaboleti...*

Nikola je sedeo pored brata, na zadnjem sedištu automobila i gledao u noć kroz staklo prozora. Odavno još nije osetio takav mir u sebi. Razmišljao je kako zvezde isto izgledaju u njegovom Lipolistu kao što su izgledale u Londonu i Parizu... *Možda su ovde čak i veće... i sjajnije. Lepo je vratiti se kući...*

*Ubuduće će češće navraćati... Doneće majci nova semena...*

A otac?

Vozio je auto ćutke, taj čestiti i vredni srpski seljak.

Uvek je bio ponosan na svoju zemlju i poreklo, ali je večeras bio posebno ponosan na starijeg sina.

*Sutra će, kad krene u crkvu, obući sako od somota i staviti novu kravatu iz Londona...*

# SAN LETNJE NOĆI

Ispred velike mašine-balerine, sedeo je na sveže ofarbanoj klupi čovek u demodiranom odelu. Gledao je u čudnu spravu koja je vrtela putnike na svojoj zarđaloj suknjici, pomerajući im svaki organ u telu. Činilo mu se da posmatra sopstveni život, da je sve što je ostalo iza njega bila samo munjevita vožnja iz koje je on u jednom trenutku nepažnje ispao. Nije se obazirao na prolaznike, plakao je bez stida i povremeno brisao suze kravatom.

Gospođa u haljini sa krupnim cvetovima diskretno je skrenula pažnju svojoj deci da ne gledaju u čoveka koji plače dok prolaze pored njegove klupe. Rekla im je da odvrate pogled i da ne postavljaju pitanja. Deca, dva identična dečaka, bez pogovora su poslušala majku. Gledali su na drugu stranu, u tezgu sa torbicama, dok su prolazili pored uplakanog čoveka iako je u njima gorela znatiželja da zastanu i pogledaju u ono što je zabranjeno.

*Kad bi samo mogli da ga upitaju zašto plače...*

Devojke koje su na obližnjoj tezgi kupovale torbice spaziše uplakanog čoveka na klupi i, onako mlade i još neosetljive na tuđu tragediju, razmeniše poglede pune snebivanja i razočarenja zbog njegovog zastarelog izgleda i godina... Pedeset je za njih već predstavljalo duboku starost. Da je kakav zgodan mladić možda bi i prišle da ga upitaju šta mu je, a ovako su samo prošle. *Mator čovek, pa još cmizdri...*

Mladić i devojka su prolazili pored klupe zagrljeni. Mladić nije primetio ni veliku balerinu, a kamoli klupu i uplakanog čoveka. Nije mogao da se usredsredi na sadašnjost, misli su mu bile negde u budućnosti, na kopči grudnjaka njegove devojke. Iako je bio dan, on je već sanjario o sumraku na zadnjem sedištu očevog auta. Devojka je okrznula pogledom uplakanog čoveka, verovatno je tek sišao sa balerine pa plače od šoka koji je doživeo od vožnje, pomislila je. *Da nije sa dečkom pitala bi ga...*

Pijani čovek se teturao vijugavim putem pored klupe. U glavi mu je vrila košnica koja mu nije dozvoljavala da vidi i čuje bistro i jasno. Učinilo mu se da je video obris nekog tela na klupi... začuo jecaj... A možda je to samo vašarska muzika koja je dopirala iz svakog lista na drvetu. Pijanac nije siguran u svoju percepciju stvarnosti. Da jeste, možda bi se i zaustavio, a ovako, samo je prošao do sledeće čašice...

Čovek koji je sedeo na klupi nije ni očekivao utehu i pomoć od nepoznatih prolaznika koji su ga zaobilazili strahujući da slučajno ne nagaze na njegovu senku. Ko bi i poverovao u njegovu priču?

*Život je obična kurva*, mislio je. *Namami te da pođeš s njim, pokaže ti svoje obline, dozvoli ti da ga pomiluješ... a onda shvatiš da moraš debelo da mu platiš...*

Pre dvadesetak godina je bio mlad i uvažen lekar, specijalista ginekologije. Imao je lepu ženu, očekivali su prvo dete i vodili miran i lagodan život. Voleo je umetnost, naročito slikarstvo, i često je pozajmljivao skupocena dela iz svoje kolekcije galerijama i muzejima. Dugo je štedeo da otkupi sliku Miće Popovića i nije verovao svojoj sreći kada je *Dve žene,* konačno, okačio na zid spavaće sobe.

Tada je sve počelo.

Na Popovićevom platnu je bio naslikan deo drvenog stepeništa, na kojem su se zaustavile dve vitke, mlade žene da provere svoju lepotu u ogledalu okačenom na plavičastom zidu. Jedna je bila obučena u svilenkasti beli kombinezon, ispod kojeg verovatno nije ni nosila ništa drugo. Rukom se naslanjala na drvenu ogradu stepeništa dok je gledala u drugu ženu koja je stajala potpuno naga pred ogledalom. Videlo se njeno golo telo, dojke i stomak, i nazirao pubis.

Mada se njegova supruga ljubomorno bunila, on je ipak, uprkos njenom protivljenju, okačio sliku tačno nasuprot njihovog bračnoga kreveta. Te prve noći, dok je trudna supruga spavala okrenuta leđima, on je posmatrao uzbuđeno dve žene na slici i maštao kako su krenule gore uz stepenište, u spavaću sobu, gde će strasno voditi ljubav.

Zamišljao je onu u kombinezonu kako se polagano skida i kako, za razliku od druge, čije je osrednje grudi već video, ona ima mnogo veće grudi i izbrijan pubični breg, baš kao devojčica.

Zamišljao je kako vrelim usnama ljube dojke jedna drugoj, kako im se prepliću vlažni jezici, klize po celom telu i međunožju, kako miluju obline jedna drugoj i propinju se oznojene od slasti. Zamišljao je njihove ruke na svom telu, njihove jezike u svojim ustima, na svojim grudima, na svom stomaku ... *kad bi samo mogle oživeti i izaći na tren iz svoje slike...*

Iz noći u noć, dok je supruga čvrsto spavala, on je maštao kako bi se ljubio sa ženama stvorenim od uljanih boja. Zamišljao je kako im miluje jedra tela, kako ih nosi u naručju uz drveno stepenište do velikog kreveta u kojem će ih naizmenično ljubiti ... Sve do jedne noći, sećao se kao da je juče bilo, kada je bio tako uzbuđen da je mislio da će cela soba eksplodirati s njim. Dok se zatvorenih očiju približavao vrhuncu, osetio je da mu je vrh užarenosti udario u toplu unutrašnjost nečijih usta. Otvorio je oči iznenađen i ugledao ispred sebe glavu žene sa slike, one sa manjim grudima. Hteo je da progovori ali oseti prst na svojim usnama. Ona druga žena, sa većim grudima, stajala je naga pored njega i prinosila mu obnaženu dojku u lice. Prihvatio je usnama njenu nabreklu bradavicu, i rukom joj milovao izbrijani pubis, dok mu je druga prelazila jezikom po nabrekloj muškosti.

– Voliš li nas? – upitala ga je ona što je stajala zanosnim, erotičnim glasom.

– Vooliiim!

Šta je drugo i mogao odgovoriti u trenutku kada sve to nije smelo stati ...

Nisu imale nameru da se vrate u svoju sliku.

Povele su ga iz kreveta u kuhinju, pažljivo pritvorile vrata spavaće sobe da se supruga ne bi probudila. On je zastao u mestu, kao da nije bio siguran.

– Ne boj se, čvrsto spava – uverila ga je maznim glasom žena sa velikim grudima.

Bile su gladne, kao da godinama nisu jele, vadile su hranu iz frižidera i halapljivo gutale sve što im je došlo pod ruku.

Gledao ih je unezvereno, ne verujući svojim očima. Žena sa manjim grudima je namazala pekmez onoj drugoj po medjunožju i lizala ga požudno.

Osetio je kako se opet budi.

– Dođi, slatko je! – pozvala ga je ona koja je klečala da se slade zajedno. Ništa više nije bilo važno, osim tih usmina premazanih pekmezom od kajsije. Sladili su se oboje naizmenično, povremeno razmenjujući slatke poljupce. Onda ga je žena sa velikim grudima povukla da ustane i okrenula mu se leđima. Duboko je uronio u njenu kajsiju, dok se ona druga svojim grudima naslanjala na njegova leđa.

– Voliš li nas? – htele su opet da znaju.

– Vooliim!

Igrali su se cele noći.

Žene su bile neumorne, smenjivale su se na njemu i ispod njega, a on je nadoknađivao sve što je propustio za osam meseci apstinencije, u kojima je njegova žena održavala veoma komplikovanu trudnoću.

Ujutro ih je ljubazno zamolio da se vrate u svoju sliku, da ih supruga ne zatekne tu kada se probudi.

– Voliš li nas? – pitale su ga opet.

– Volim svoju ženu – odgovorio je pomalo drsko i one su nestale. Odahnuo je.

Otišao je u kupatilo da se istušira pred posao, dok je supruga još čvrsto spavala, zajedno s detetom u utrobi koje je uskoro trebalo da se rodi.

Dok se oblačio, pogledao je u sliku, njegove ljubavnice su stajale graciozno na stepeništu i ogledale svoju lepotu u ogledalu.

Osetio je stid i kajanje, strah i jezu, koji su mu se zavukli duboko u stomak. Ipak, nije se mogao odbraniti od uzbuđenja koje se automatski javilo na samu pomisao njihovih dodira. Izašao je iz stana užurbano, zatvorio vrata za sobom kao da zatvara opasnu kutiju fantazije koja se ne sme više otvarati.

Žurio je na posao, u bolnicu.

Sećao se tog dana kao da je juče bilo.

Radni dan je prošao neuobičajeno mirno, to mu je dalo vremena da razmišlja o prošloj noći. Da li je gubio razum, možda da se konsultuje sa kolegom psihijatrom? Kako da se kompromituje i ispriča takvu neverovatnu ispovest, to bi mu svakako ugrozilo reputaciju. A tek da procuri po bolnici, pa do pacijenata... To bi bio kraj njegove karijere...

Radio je rutinski, preglede, biopsije, dve kiretaže, a na umu mu je stalno bila Popovićeva slika.

*Da li će one dve žene opet noćas doći u njegovu postelju?*

*Ne, ne!!!*

*To se ne sme ponoviti!!!*

Oko šest popodne zazvonio je na vrata svog stana, ali ga supruga nije čula, pa je otključao vrata i ušao unutra.

*Verovatno je u kupatilu...*

Izuo je cipele u hodniku, i stavio ih pored njenih uredno složenih sandala.

Začudila ga je tišina u dnevnom boravku, uvek je u njihovom stanu svirala lagana muzika. Palo mu je na pamet da je možda morala hitno u bolnicu na porođaj, ali je ideju odmah odbacio kao nemoguću, jer bi ga u tom slučaju sigurno neko pozvao.

*Tu su joj sandale... Mora da je kod komšinice.*

Iz kuhinje nije dopirao miris tople večere kojom ga je supruga uvek dočekivala.

*Nema poruke...*

Obuze ga zebnja, strah da je žena nešto posumnjala, da se naljutila na njega. Još gora mu bi pomisao da su možda one dve žene izašle iz svoje slike i sve joj ispričale.

*Nije me valjda napustila...*

Prošao je do spavaće sobe, ali je zastao na vratima kao ukopan.

Cela soba je bila obojena u crveno, u strašno crveno!

Na krevetu je ležala njegova supruga, obojena istom bojom, strašnom crvenom!

**Znao je da je to njena krv!**

– Voliš li nas? – čuo se glas koji je dopirao sa zida. Pogledao je sliku, dve žene su stajale nage i nasmejane na drvenom stepeništu, obe sa nožem u ruci, tela isprskanog crvenom bojom.

– MRZIM VAS! – viknuo je glasom koji ga je izneverio, jer je zazvučao kao glas prevarenog slabića. Žena sa velikim grudima, čiji je obrijani pubis toliko puta poljubio, mahnula je ljutito rukom sa slike i poprskala ga po odeći crvenom bojom.

– Nema ti spasa! – presudila mu je otrovnim glasom.

Nije ni želeo da bude spasen.

Želeo je da umre tu, na licu mesta.

Pozvao je policiju, priveden je i uhapšen bez mnogo ispitivanja. Nije davao opširne izjave, znao je da bi ga proglasili ludim i da bi završio u mentalnoj instituciji ako bi pokušao da objasni stvar. Priznao je odmah bez oklevanja da je kriv. Osećao se kao zločinac.

Advokat koji ga je branio na sudu tvrdio je za njega da je podvojena ličnost, da je od detinjstva bio žrtva traumatskog sindroma, da mu je potrebna terapija koja će integrisati njegovu psihu, na šta je on samo hladnokrvno odmahivao glavom.

Osuđen je na dvadeset pet godina zatvora.

Prijatelji i familija su ga ignorisali, niko mu nije pisao, niti dolazio u zatvor u posetu. Izgubio je svaku vezu sa prošlošću, samo ga strah, košmari i kajanje nikad nisu napustili.

Delio je ćeliju sa čovekom koji je ubio svoju porodicu, ženu i troje dece, koji ga je često nagovarao da pobegnu zajedno u Italiju. Samo bi se nasmejao takvim predlozima, od sebe nije mogao da pobegne.

Bio je zaglavljen u vremenu i prostoru, svake večeri bi poželeo da umre, svakog jutra bi poželeo da umre… a između večeri i jutra, sanjario je *o onome* zbog čega bi još možda i bilo vredno poživeti…

Odslužio je dvadeset godina zatvora.

Pustili su ga ranije zbog dobrog vladanja, a verovatno i zato jer je zatvorski prostor bio dragocen za teže slučajeve.

Niko nije došao po njega.

Obukao je staro odelo u kojem je bio priveden u zatvor, i cipele koje su mu sada bile tesne. Ruka mu je drhtala dok je potpisivao otpusni list. Nije bio siguran da želi natrag, u ralje vanjskog sveta.

Kada se kapija širom otvorila zastao je u mestu, ukopan. Stražari su mu govorili da se pomakne i ide kući… Rekao im je da se plaši, ali oni nisu bili zainteresovani da ga slušaju…

Noge su ga same dovele do Mihajlovca. Ni sam ne zna koliko je dugo hodao, koračao je kao u transu dok su mu suze kapale niz obraze.

Seo je na klupu da se pribere, da smogne hrabrosti za ono što ga čeka. Zavukao je ruku u džep sakoa i prešao jagodicama prstiju preko bočice terpentina.

*Njih* se više nije bojao.

Izvadio je iz džepa komad papira, isečak iz novina.

Pročitao ga je po ko zna koji put. Članak je govorio o mladoj estradnoj zvezdi i njenom premijernom gostovanju na šabačkom vašaru.

Ličila je, kao da je preslikana, na njegovu pokojnu ženu.

*Iste usne, obrve, nos…*

…samo je nasledila njegove oči…

Ustao je konačno sa klupe, obrisao lice kravatom i vratio novinski članak u džep.

Ide da je potraži.

Osetio je strah, kao nikad do tada u životu.

Pravo suđenje mu tek predstoji.

# ČETIRI
# PLEMENITE ISTINE

Bio je sitnog rasta i kratkih udova, naličio je više detetu nego sredovečnom muškarcu. Ceo dan je stajao na nogama i slagao neumorno plastične drangulije koje je prodavao. Tezga, kao što je njegova, bila je za primer drugima. Čim bi potencijalni kupac ispustio bahato iz ruke ono što je razgledao, on bi to odmah vratio uredno tamo gde mu je bilo predodređeno da stoji.

Došao je iz Bosne, pa su ga svi zvali Bosanac. Obično ga to nije vređalo, ubedio je sebe da je ljudima teško da zapamte njegovo ime, ali bilo je dana kada bi ga to zabolelo, gore od svake bolesti. Tada bi, umesto aspirina, progutao svoj ponos uz osmeh, u nadi da će ipak nešto prodati.

*Sve je na prodaju*, to ga je tešilo, *i prošlost, i sadašnjost i budućnost.*

Otkako se preselio u Srbiju promenio je i način svog govora, počeo je da priča ekavicom. Nije bilo lako setiti se svaki put pravilnog izgovora reči… sve je bilo tako slično… a tako različito.

Ljudi su voleli da ga ispravljaju, činilo mu se da ga poneki i zadirkuju zbog njegovog akcenta, pa se trudio da na svom radnom mestu, tezgi, mnogo i ne govori.

Uglavnom se držao onog *izvolite i hvala lepo.*

Pre nekoliko godina se preselio u Šabac sa mnogobrojnom porodicom; žena, četvoro dece, njegova majka i otac.

Bosna je sve dublje tonula u krizu i tamo više nisu mogli da se prehrane.

Kupio je, po veoma povoljnoj ceni, staru kuću u predgrađu, koju je nasledio neki čovek iz inostranstva, ali nije nameravao da je koristi.

Kuća je imala tri velike prostorije i lepu, ali zapuštenu baštu koju su odavno prekrili korov i kamenje. Pregradili su dve spavaće sobe u četiri manje, jer uskoro je i njegov brat trebalo da se doseli sa ženom i decom.

U njihovoj porodici se oduvek poštovala stara mudrost koja kaže da, gde čeljad nisu besna, ni kuća nije tesna. Svi su vredno radili, smenjivali se za tezgom na lokalnoj pijaci od jutra do mraka, a ove godine je Bosanac doneo na prodaju svoje plastične drangulije i na vašar.

Sedeo je iza tezge, u rasklimatanoj stolici na rasklapanje, kojoj je nedostajao desni naslonjač za ruku, ali mu to nije smetalo. Iz stomaka mu je dopirao zvuk praznine, kao unapred programiran sat. Proverio je vreme, bilo je tačno pola dvanaest, *vreme za užinu.*

Nije voleo hranu koja se prodavala na vašaru.

Bio je ubeđen da bi se razboleo kada bi u jednoj porciji pojeo toliko hleba i mesa koliko ovde ljudi pojedu… čak i deca! Ražnjići, čevapčići, pljeskavice, razna pečenja… ništa ga od toga nije privlačilo.

Uvek je nosio užinu od kuće, koju mu je spremala njegova majka. Taj obrok, upakovan u plastičnu zdelu, njemu je izgledao privlačan, bez obzira što su se svi sastojci pomešali u jednoličnu masu svetlosmeđe boje. Za njega je svaki zalogaj imao drugačiji ukus od onog prethodnog; u jednome je preovladavao ukus karfiola, a u drugome ukus mrkve...

Jeo je sporo i polako, između dva zalogaja je pijuckao mlaki čaj iz termosice.

Sa svakim je zalogajem osećao prijatnu transformaciju u kojoj je od gladnog čoveka postajao sit. Za njega je to bio uzvišen čin u kojem je iskazivao zahvalnost i poštovanje majci prirodi za hranu koju je podarila ljudima.

Bez obzira na nemaštinu i bolne gubitke koje je doživeo, Bosanac je uvek sledeo četiri plemenite istine:

*– Patnja mora da postoji i sve što postoji je ispunjeno patnjom.*

*– Postoji razlog zbog kojeg patimo, patnja dolazi zbog želje da posedujemo određene stvari.*

*– Postoji način da se patnja ugasi, treba se samo odreći sebičnih prohteva.*

*– Treba slediti osam zlatnih pravila koja te oslobađaju patnje.*

Svakog dana, posle užine, tačno u podne, povukao bi se u neki miran kutak i posvetio tišini i osluškivanju ritma prirode. To je obično radio u bašti kod kuće, a danas, ispod krošnje starog hrasta na Mihajlovcu. Nisu mu smetale ni sparina, ni gužva, ni žamor ljudi, on je znao put do svoje nirvane.

Sedeo je spokojno u hladovini i preslišavao u sebi osam zlatnih pravila:

*Moram znati i razumeti četiri plemenite istine.*
*Moram se osloboditi želja i htenja.*
*Moram govoriti istinito, ljubazno i mudro.*
*Moram činiti stvari sa ljubaznošću pazeći da ne povredim druge.*
*Moram zarađivati za život tako da ne oštetim druge.*
*Moram ohrabrivati i razvijati pozitivne misli.*
*Moram biti svestan radnji koje utiču na svet oko mene.*
*Moram stremiti uravnoteženom stanju uma kroz osam zlatnih pravila.*

Pogledao je u krošnju drveta iznad glave, pomno posmatrao svaku granu, svaki list. Bilo je nečeg uzvišenog u načinu na koje je lišće branilo sunčevim zrakama da dosegnu travu. Osećao se sretnim zbog tako lepe slike koju mu je majka priroda podarila, baš tu, iznad njegove glave... Celim je telom upijao toplotu sunca i hladovinu krošnje, podjednako su mu trebale, kao dan i noć, kao jing i jang...

Kad se napojio snagom prirode, seo je opet u rasklimanu stolicu iza tezge i čekao strpljivo na mušterije. Pomislio je na rodnu grudu...

Tamo daleko, preko brda i reka, njegova bolesna zemlja je grcala u malignoj stvarnosti dvadeset prvog veka. Porodice su se raspale, raselile, posedi i imanja izgubili vrednost.

Naivci su se još grčevito držali komunističkih ideala, sanjali o jednakosti, novim sindikatima i radničkim bonovima ...

Snalažljiviji su se bacili u naručje kapitalističkoj ljubavnici, preko noći stvorili fabričke pogone u kojima su proizvodili sve ono što ni sami ne bi poželeli da kupe ...

Mnogi odvažni, ili očajni, kao što je bio on, napustili su domovinu ...

Jezik se razgranao kao podivljalo drvo, brat brata nije više razumeo ...

Pogledao je setno u nebo, kao da će ono razumeti nostalgična sećanja koja mu nisu dala mira.

*Tamo je sve drugačije.*

*Čajevi drugačije mirišu, reke teku dostojanstveno u tišini, drugačija su godišnja doba.*

*Nežnije su i sitnije ruke devojaka koje hrane živinu oko kuće, šareniji su krovovi... krivudavije ulice...*

– Bosanac! – probudi ga hrapavi glas iz sanjarenja – daj mi jedan paket štipaljki!

Uslužno i sa osmehom pokornog sluge pružio je starijoj gospođi ono što je tražila. Pored nje je stajalo dete, verovatno njeno unuče, i zurilo u njega, kao da nikada nije videlo Bosanca.

*Ni ovo dete ne razume...*

*Ovde je sve drugačije. Nema tajanstvenih piramida, ni kamenih spomenika za koje niko ne zna koliko su stari...*

*Nema podzemnih prolaza i pećina za koje ne znaš da li te vode u otkriće ili sunovrat... nema zmajeva...*

*Nema magle kao na planinama čiji vrh niko nije video, nema stena sa oštrim liticama... Nema zavodljive muzike pastira koja miluje nepregledne zelene livade...*

*Ovde je sve drugačije...*

*Satenska svila kad prianja uz ženske noge... Šum koji ostaje iza koraka mekanih papuča... Čak ni tapiserije ne prianjaju tako prisno uz zidove...*

*Miris moje zemlje posle kiše, miris cveća i ljudi...*

– Bosanac! Daj mi još jedan paket! – zvučalo je skoro kao naređenje. Odmah je bez pogovora poslušao, nije bio sujetan. Dete ga je još uvek gledalo u čudu. Hteo je da ga pomiluje po kuštravoj glavici, ali ga gospođa zgrabi za ruku i odvuče sa sobom...

Seo je opet u stolicu u kojoj su ga strpljivo čekale nostalgične misli...

Bez obzira što ga je život surovo poveo za ruku iz rodne kuće, on je uspeo da preseli sa sobom ono što mu je pored porodice, značilo najviše na svetu. Preselio je svoju baštu, od nje se nije mogao rastati. Kada je krenuo na put neizvesnosti, poneo je lukovice i seme svake biljke, i sve mu je iznova rodilo.

Dok je sadio svoje mlado drveće, cveće i povrće, preslišavao je u sebi četiri plemenite istine:

*Patnja mora da postoji i sve što postoji je ispunjeno patnjom.*
*Postoji razlog zbog kojeg patimo, patnja dolazi zbog želje da posedujemo određene stvari.*
*Postoji način da se patnja ugasi, treba se samo odreći sebičnih prohteva.*

*Treba slediti osam zlatnih pravila koja te oslobađaju patnje.*

I onda bi, dok je zalivao svoje mlado rastinje, preslišavao u sebi osam zlatnih pravila...

U tom baštenskom spokoju, za seme i nije bilo drugog izbora do da sve proklija i bukne. U tom parčetu raja, koje je gajio srcem i negovao dušom, moglo se čuti rascvetavanje ružinih latica, prepirka među mravima i ljubavna pesma koju je bumbar recitovao na listu jasmina.

Pročula se Bosančeva bašta po celom Šapcu, ljudi su dolazili iz svih krajeva grada da pomirišu behar trešnjinog cveta na kojem je sedeo mali slavuj.

Stajali bi naslonjeni na drvene tarabe i posmatrali s divljenjem prirodu koju je doneo mali neobični čovek, preko brda, preko reka, preko mora... preko Bosne... iz daleke, daleke Kine...

# IZ ALBUMA SVETACA

Deda! Deda, eno ih oni vanzemaljci!

– Ama, Lazo, rekô sam ti već, to su srpski sveci.

Ikone je na klimavoj tezgi prodavao mladi umetnik iz Zrenjanina, Arsenije Rajković, inženjer hemije po struci.

Izložio je ponosno svoja dela, red Bogorodica, red anđela, red muških svetaca i, u sredini, sam Gospod spasitelj. Onako, na prvi pogled, ličili su jedno drugome kao mnogobrojna tužna porodica, ozbiljni i zagledani, bez životnog sjaja u očima. Kao da im je tamo negde u daljini izgorela kuća, pa svi samo ćute i pate, niko ne progovara…

Deda i Lazar su prišli tezgi da razgledaju ikone i pozdrave umetnika koji je sedeo za štafelajom i slikao još jednog člana nebeske familije.

– Hoće li to umetniče? – prvi se oglasio deda.

– A evo, ide nekako. Nije lako, baš je upržilo sunce. –

– Vidim, imaš neke ikone na drvetu, a neke na platnu, koje ti se bolje prodaju? – interesovao se deda.

– Bogami ove na platnu. Slabo ko danas kupuje drvenu ikonu, šteta.

– A čime ih slikate? – znatiželjno upita Lazar.

– Jajčanom temperom.

– Boja od jaja? – smeje se Lazar. Nikad nije čuo za takve boje.

– Da, pomešam boje sa žumancetom, tako se najbolje očuvaju, a onda kad završim slike, premažem ih pastom od pčelinjeg voska da ih konzerviram.

– Deda, vidi ovog što se tuče sa zmajem! – pokazuje Lazar uzbuđeno na šarenu ikonu koja mu je privukla pažnju.

– To je sveti Đorđe.

– Je li on bio neki hrabri Srbin koji je ubio zmaja? – interesuje se dete.

– Nije – uzdahnu deda duboko – on je bio rimski vojnik.

– Ma šta kažete?! – okrenu se umetnik u neverici.

– Pa, kako se onda zove Đorđe, ako nije bio Srbin? – čudio se Lazar.

– Pa nije se tako ni zvao, verovatno se zvao Georgius, ali su mu ljudi koji ga slave promenili ime u neko svoje, domaće, tako da ga Srbi zovu Đorđe, Hrvati Juraj, Englezi Džordž, a Španci ga zovu Horhe.

– Pa on je znači svetski heroj? – zaključuje Lazar.

– Pa, tako nekako, mnogi ga slave i mole mu se – zbunjeno reče deda. Nije o tome razmišljao.

– A koga on, deda, brani kad se potuku jedni protiv drugih, za koga navija?

– On ne uzima strane, Lazo, on brani sve hrišćane.

– A taj zmaj, deda? Čiji je bio zmaj?

– Arapski. Legenda kaže da se sve dogodilo u nekoj varoši u Libiji, mada to mesto nikada nisu pronašli. U jezeru pored varoši živeo je opasan zmaj koji je plašio ljude i jeo im stoku. Da bi ga smirili, svakog dana su mu donosili po jednu ovcu na obalu, ali kad im je pojeo sve ovce postao je još bešnji, pa su počeli da ga hrane svojom decom. Izvukli bi nečije ime, kao na lutriji, tako je jedino bilo pravedno. Jednog dana su izvukli ime kraljeve kćerke, pa je ojađeni kralj ponudio ljudima sve svoje blago u zamenu da neko od njih žrtvuje svoje dete, ali uzalud. Niko nije želeo da proda rođeno dete. Teška srca, kralj je naredio da odvedu princezu i svežu je na obali da je zmaj pojede. Tu je slučajno prolazio sveti Đorđe, pa kad je video šta se događa, probio je kopljem zmaja i tako ga ranjenog, na uzici, poveo u varoš među ljude. Kad su ga oni videli prestrašeni, zamole svetog Đorđa da ga odmah ubije, ali on im reče da će ubiti zmaja samo ako svi postanu hrišćani.

– Pa to zvuči kao ucena! – prekida ga Lazar.

Nakašlja se deda suvo, pa nastavi priču:

– … i kad kralj i ljudi na to pristadoše, sveti Đorđe ubi zmaja i na tom mestu sagradiše hrišćansku crkvu.

– A kako je on umro deda?

– Uhvatio ga je jedan car koji nije bio hrišćanin, zvao se Dioklecijan, i naredio da mu odseku glavu.

– A ko je ovaj ovde? Kakav mu je ovo zlatan šešir na glavi? – pokazuje Lazar na jednoga sa dugačkom kosom i jarećom bradicom.

– To je sveti Jovan! – odgovara Arsenije koji je ostavio štafelaj i boje, i privukao se tezgi jer su ga zainteresovale dedine priče. – A to nije šešir, nego oreol.

– On mora da je neki važan Srbin!? – nestrpljivo će dete.

– Sveti Jovan je bio Jevrej – tiho reče deda.

– Pa kako mu je onda pravo ime?

– Pa nešto kao Johanan, Hrvati ga zovu Ivan, Englezi ga zovu Džon, Španci Huan, a Nemci Johan.

– A što je on bio važan?

– On je bio stariji rođak Isusa Hrista i njegov prvi učitelj. On je krstio Isusa u reci Jordan, zato ga i zovemo Jovan Krstitelj.

– A je li on ubio nekog zmaja?

– Ma nije, Lazo! On nije bio ratnik, propovedao je ljudima mir i ljubav, i govorio im je da treba da se pokaju i krste. Kažu da je nosio odelo od devine dlake i hranio se divljim medom i skakavcima.

– Kako je on umro?

– Uhvatio ga je kralj Herod i naredio da mu odseku glavu. Ima jedna crkva u Rimu u kojoj i dan danas čuvaju Jovanovu glavu u staklenoj kutiji, može svako da je vidi, mada niko ne zna da li je prava. I druge crkve u svetu tvrde da poseduju neki deo Jovanovog tela. Kažu da je u cetinjskom manastiru njegova desna ruka, baš ona kojom je krstio Isusa. Potpuno je očuvana, fale joj dva prsta doduše, ali je još prekrivena kožom kojoj vreme nije moglo da naudi.

– A ko je ovaj ćelavi?

– To je sveti Nikola, onaj što ga mi slavimo u decembru.

– Nije ni on bio Srbin, siguran sam! – smeje se dete, a Arsenije ga gleda ispod oka, nešto mu to nije smešno.

– Nije, Lazo, on se rodio negde u Turskoj, koja je u to doba bila rimska provincija.

– Je li i njemu neki kralj odsekao glavu? – preskače dete odmah na ono što ga najviše interesuje.

– Ma nije, on je doživeo duboku starost. Kažu da je umro u svom krevetu.

– Po njemu su izmislili Deda Mraza – ubacuje se Arsenije. – Kažu da je uvek delio deci hranu i poklone.

– A kako vi znate da ih nactrate kad ih nikada niste videli? – iznenadi umetnika Lazar.

– Pa… gledam u one starije slike, kako su ih pre slikali.

– Pa možda ih ni oni od ranije nisu poznavali? – spontano će dete.

– Možda… – zamisli se Arsenije.

– Hoćeš li ti biti svetac kad umreš deda?

– Auh, Lazo! Pa ja sam običan čovek – bi dedi nezgodno.

– Nisi ti deda običan! Ti sve znaš i svima pomažeš, deliš hranu i po komšiluku i po crkvi. Svi kod tebe dođu da pitaju za pomoć i savet, a čuo sam kad su rekli za popa Bogdana da je lopov i prevarant. Što ti onda ne bi bio svetac?

– Ma ne može to tako, Lazo. Da bi bio svetac moraš neko čudo da napraviš – branio je deda svoja verovanja.

– Kakvo čudo? – ne odustaje dete, a Arsenije se sav pretvorio u uvo.

– Pa, na primer, da dodirom zalečiš rane ljudima, da hiljade gladnih usta nahraniš sa nekoliko vekni hleba, da slepom čoveku vratiš vid… sve ono što običan čovek ne može da uradi.

– A znaš li ti ikoga deda kome se takvo čudo dogodilo?

– Ne znam, Lazo.

– Ne znam ni ja – dobaci Arsenije.

– Hajde, Lazo, da ti deda kupi ikonu, izaberi koja ti se sviđa. Hoćeš li svetog Savu, on je bio naš čovek?

– Neću deda, nemoj da se ljutiš. Ovi sveci mene plaše, kao da mi prete što nisam dovoljno dobar.

Dedi je bilo neugodno, ali im se Arsenije lepo zahvalio na druženju i utešio dedu da je isuviše rano da dete shvati ikone.

*Sve u svoje vreme*, rekao je mudro.

*Arsenije Rajković, umetnik iz Zrenjanina, inače inženjer hemije po struci, iznenada se proslavio svojim ikonama. Od kako je promenio stil, ne može da stigne da naslika toliko porudžbina koliko mu stiže telefonom, poštom, preko prijatelja i direktno na njegov veb-sajt. Likovi svetaca na njegovim ikonama su poprimili širok osmeh, postali vedri i punački, poneki čak i nebesko plavih očiju.*

*Umetnički kritičari tvrde da je Arsenije izumeo novi izraz u likovnoj umetnosti i da je začetnik moderne ikonografije dvadeset prvog veka.*

# O VASI
## SVE NAJBOLJE

Ne znam ni sam kako sam se zadesio na njegovoj sahrani, pored ovoliko posla na vašaru. Svratih u selo preko vikenda da obiđem brata, a on baš krenuo na Vasinu sahranu, pa i ja pođoh s njim.

Vasu sam poslednji put video pre tri meseca, bio je zdrav kô dren, baš sam se iznenadio da čujem takvu vest. Bio je vršnjak mog brata, družili su se kao deca, a posle sve ređe i ređe. Poslednjih godina moj brat i nije bio nešto blizak s njim, a nisam ni ja... Ma nije niko, nije ni sam Vaso sa sobom... Valjda naš narod u selima voli da se sastaje na pogrebima, najedu se, napiju i naplaču, ako ne za onim ko je umro, onda za nekim svojim umrlim koga se prisete... Na kraju, poneki i zapevaju.

Bilo je bogami dosta sveta.

Vasina žena i dve kćeri, pa njihovi muževi, deca, rodbina, prijatelji, meštani iz sela... i poneki zalutali, kao što sam bio i ja.

E, samo da čuješ kako su za njega sve lepo govorili, u zvezde ga digli, među svece stavili, kao da se takav čovek jednom u sto godina rađa.

Vasina žena je plakala, naricala na sav glas, nije mogla vazduha udahnuti od ropca. Svi smo mislili da će se onesvestiti. Koliko je kukala, rekao bi, neće ni umeti da živi više bez njega, toliko joj je važan oslonac bio. Kao da je postojala samo da bi njega volela, pa sad kad ga više nema, ni ona nema razloga da postoji.

A znali smo svi da je Vaso godinama varao i živeo sa nekom Anđom, raspuštenicom iz Šapca. Ona mu je pre osamnaest godina rodila vanbračnog sina, pa se Vaso hvalio kako je konačno dobio pravo dete, k'o da mu one dve kćeri nisu bile prave. Ma nije bilo ni trun srama u tom čoveku. Svoju je ženu vređao pred svima, optuživao je za sve čime nije bio zadovoljan. Ona je pred njim ćutala i trpela poniženja, a čim bi Vaso okrenuo leđa, klela bi ga i proklinjala.

Možda je od toga i umro.


Plakala je Vasina starija kćer, nije ga videla dvadeset godina. Izložili su pored iskopane rake otvoreni sanduk s pokojnikom, gledala je u svoga oca i kukala za sve one propuštene godine u kojima zbog daljine nije cupkao njenu decu na svojim kolenima. Njena dva sina, već odrasla momka, stajala su sa strane i nemo gledala u dedu kojeg nikada nisu upoznali. Obojica liče na njega, kô da su preslikani.

A nije ta kćer živela daleko u inostranstvu, nego tu blizu, u susednom selu. Pobegla je od kuće sa šesnaest godina, udala se za prvog koji je upitao, samo da se od oca spase. Sve joj je branio, ni u srednju školu joj nije dao, jednom je za kaznu do gole kože ošišao. Kad je ona pobegla, Vaso je se odrekao preko novina, nije joj nikada više dozvolio da mu uđe u kuću. Ona je krišom dolazila u Cerovac da se vidi s majkom i pokaže joj sinove koje je izrodila. Plakale su zajedno, proklinjući Vasu i sopstvenu sudbinu.

Plakala je i mlađa Vasina kćer.

Oči su joj natekle kao buhtle, a muž je pridržavao s leđa da ne izgubi ravnotežu. Deca su je stalno zapitkivala da li joj je dobro, hoće li da sedne. Noge su joj bile slabe, jedva je stajala. Takve su joj bile od rođenja. Vaso je svojoj ženi zabranio da vodi dete na rehabilitaciju, nije joj dao da silazi u grad, u bolnicu. Optuživao je da ona nije zdrava žena kada je rodila takvo defektno dete, da joj je to božja kazna i da ga nije briga šta su rekli lekari. Tako je mlađa Vasina kćer presedela svoje detinjstvo, majka ju je učila da čita i piše, jer u školu nije mogla ići…

Kad je stasala u devojku, u celom kraju nije bilo lepše. Jedne subote je tu planinario mladi lekar, prošao pored njihove kuće i zatražio od nje vode. Ona mu je uz čašu vode ispričala svoju sudbinu, a on se toliko zaljubio, da su i njemu noge otkazale dok je stajao pred njenom lepotom. Od tog je dana lekar svake subote planinario po Ceru, jer je Vaso subotu uvek provodio kod Anđe u Šapcu.

Konačno, krajem leta, mladić je smogao hrabrosti da dođe u nedelju i upita Vasu za ruku njegove kćerke. Vaso ga je izbacio iz kuće, kćer istukao optužujući je da se kurva na oči celog sela, a ženu jer je sakrivala sve to od njega. U ponedeljak je lekar opet došao sa dvojicom prijatelja, zgrabili su Vasu i ubrizgali mu injekciju od koje je pao kao klada. Kad se probudio, mlađe kćeri više nije bilo, samo je žena sedela u fotelji i smejala se kroz suze.

Vasin kum Ilija je na sav glas hvalio pokojnika.

Nije plakao, mada mu se plakalo od muke za one pare za koje ga je Vaso prevario. Nasadio ga Vaso pre petnaest godina, hteo je da zida farmu svinja, pa zamolio Iliju da mu pozajmi pare. Ilija se tek vratio iz Nemačke, planirao da zida novu kuću, al' uhvati ga Vaso na brzinu kako će mu se pare udvostručiti za šest meseci, kako će mu se trostruko vratiti do kraja godine... i pojede vuk magarca. Šta je Vaso s tim parama uradio, niko ne zna. Farmu svinja nikada nije ni počeo da zida, kumu dinara nikad nije vratio, a pare su nestale.

Sudski se nije ništa moglo uraditi, jer kum je kumu verovao i dao mu gotovinu na poverenje. Tolike ga je godine zavlačio da će mu vratiti novac, pomislio bi da je umro, samo da mu ih ne vrati.

Vasin komšija Milorad je uzeo reč, govorio je o pokojniku sve najlepše, kako je bio vredan, dobar domaćin i komšija. Nije spomenuo da mu je Vaso pretio pištoljem zbog one jabuke što je rasla s njegove strane, a bacala senku u Vasino dvorište. Umalo glavu nije izgubio zbog to malo ladovine.

Slušao sam sve to i nisam mogao da verujem... Čudni smo ti mi ljudi...

Pa i onaj zet, lekar, uzeo reč. Kako je lepo govorio, školovan čovek, rekao bi ko ne zna da mu je Vaso kćerku uz blagoslov i veliki miraz podao.

Gledao sam u onaj narod, jesu li normalni šta o njemu govore?

Kome to oni pričaju o Vasi, pa svi smo ga znali?!

Svi su ga za života izbegavali i ogovarali, a sad tako fini, pa samo najlepše. Ma ne kažem da je išta loše trebalo reći, ali mogli smo dostojanstveno u tišini ispratiti pokojnika.

I dok smo stajali na groblju, okupljeni oko otvorenog Vasinog sanduka poče da pljušti. Takvu kišu još u životu nisam doživeo, snagom je poterala svu iskopanu zemlju nazad u raku, zatrpala rupu do pola. Narod se uspaničio, pokrivali smo se rukama, kesama, a svi već mokri do gole kože. Ma kao da je Gospod celo jezero nebesko na nas sručio. U sred tog komešanja puče grom po sred Vasinog kovčega, kao bomba da je eksplodirala! Zakuka njegova žena na grobare, da što brže zatvore kovčeg dok ga celog voda ne napuni. Kako je prišla prva i uhvatila za poklopac, tako ju je ščepala Vasina ruka iz onog kovčega, a ona je vrisnula koliko je grlo nosi:

– Vaso je vaskrso!!!

Ama, da nisam bio na licu mesta, rekao bih da ljudi lažu, al' ovo ti je sve živa istina. Kako je ona ciknula, tako je kiša prestala i ogrejalo sunce, kô najlepše proleće! Ustao Vaso iz kovčega, pogledao u nas unaokolo kô da smo svi poludeli, a on jedini normalan! Okrenuo se i bez reči otišao svojoj kući, kao da mu ništa nije ni bilo!

Ljudi su u neverici gledali za njim, svi su se pitali da li je moguće da ih je Vaso čuo dok su sve ono lepo o njemu govorili?

Možda su ga oni svojom jadikovkom iz mrtvih vratili, možda se sažalio bog kad ih je čuo koliko ga još trebaju, pa ko veli – evo vam ga nazad. Sad, kad ga tako nahvališe punim ustima, kao da su mu dali blagoslov za sve loše što im je učinio... Kakav li će tek sada biti?

Smejao sam se, Vaso jeste namćor, al' eto drago mi je da je život pobedio smrt... Ko ih je terao da o pokojniku govore sve najbolje...

# CRTEŽI
# KOJI OŽIVLJAVAJU

Jelena je bila devojčica koja se nije mnogo smejala. Njena učiteljica je insistirala da mora ponoviti prvi razred osnovne škole, jer nije savladala čitanje kao druga deca, čak je i njenu inteligenciju dovela u pitanje.

U školi je bila tiha i povučena, samo bi povremeno provirila iz dimenzije u koju se zavukla.

Deca je nisu izbegavala, ali je ona bila isuviše nežna da opstane među njima u gurkanju i graji. Više je volela da ih posmatra sa strane, zaokupljena svojim mislima. Majka ju je odvela kod školskog psihologa, koji je posle oštro izružio učiteljicu, jer Jelena nije bila ni glupa, ni lenja.

Jelena je bila introvertna devojčica.

Sedela je na maloj crvenoj stolici, pored tezge na kojoj je njena mama prodavala kozmetiku i dragunlije koje je nabavljala jeftino u Rumuniji.

Došle su iz Negotina po prvi put na vašar, odsele su kod bake i dede, majčinih roditelja. Mama je bila rođena Šapčanka i mnogi su je prepoznali i ispričali se s njom. Jelenin tata je pre četiri godine izašao iz njihove porodične fotografije i preselio se u samostalnu fotografiju na koju je mama zalepila crnu traku. Mama joj je rekla da je tata poginuo na Kosovu. Često ga je nazivala herojem dok se borila sa suzama i grizla za usne mrmljajući *kako su ratovi uzaludni... kako uvek pobeđuju oni koji rađaju više dece...*

Jelena je držala na krilu dva bloka za crtanje, a ispred njenih stopala, u travi, ležala je četvrtasta korpica ispunjena bojicama i flomasterima. To je bio njen magični svet u kojem je živela, svet crtanja. Stavila je na travu propagandni natpis koji je sama nacrtala, uokviren šarenim leptirovima, sa krupnim tekstom u sredini:

CRTEŽI KOJI OŽIVLJAVAJU

Izložila je nekoliko završenih crteža na prodaju, i vredno stvarala novo remek delo.

Dok je skicirala, mama joj je češljala dugu kovrdžavu kosu i skupljala je šnalama u punđu.

– Mnogo je vruće, dušo mamina – komentarisala je dok joj je pravila frizuru. Kad je završila, poljubila ju je u vrat i nadvirila se radoznalo nad crtež koji se rađao u Jeleninom krilu.

– Šta sad crtaš?

– Krila.

– Misliš pticu?

– Ne, samo krila – odgovori devojčica.

Mama je više nije zapitkivala.

Nekada je bila mnogo zabrinuta za svoje dete, naročito otkako su ostale prepuštene same sebi, bez prihoda, sažaljevane i oplakane zajedno sa pokojnim mužem. Dugo je sebi prebacivala da je slaba i nejaka majka, da će Jelena patiti trajno zbog gubitka oca za kojeg je bila izuzetno vezana, ali onda joj je školski psiholog objasnio da je Jelena dete superiorne inteligencije, izrazito emotivna, kreativna i misaona, i da će uspeti da prebrodi tragediju koja ih je zadesila.

Od tada nije više postavljala suvišna pitanja, prihvatila je svoju sudbinu i svoje dete kao bogom dan poklon.

Starac i starica su prilazili tezgi, koračali su polako držeći se pod ruku. Nigde se njima nije žurelo, svaki novi dan u starosti je lepo iznenađenje koje treba osmišljeno i lepo poživeti. A ovaj dan je baš bio vredan življenja, nebo je bilo plavo kao najlepša svetloplava bojica koju Jelena uvek prvu potroši. Prišli su njihovoj tezgi, i onako uz razgledanje i priču, ustanovili da poznaju njihovu familiju u Šapcu. Prisetili su se čak i njene mame iz vremena kada je bila nestašna devojčica. Kupili su stakleni svećnjak i mirišljavu sveću i onda se okrenuli Jeleni.

– A to je vaša lepotica! Pa liči mnogo na vas! A šta ovo piše, stani da stavim naočale... – rekla je baka. – C...rteži ko...ji oži...vljavaju? – sricala je slova kroz debela stakla.

– Da – odgovorila je Jelena sramežljivo.

– Pa hajde da kupimo jedan. Koji ćemo? – deda je gledao upitno u baku očekujući da ona izabere šta joj se dopada.

– Ma ne vidim baš dobro. Hajde, zlato moje, ti nam proberi jedan crtež – zamolila je baka.

Jelena je pogledala unaokolo u izložene crteže. *Ključ? Ne...*

*Duga? Ne...*
*Stope u pesku? Ne...*
*Prsten? Ne....*
*Evo ga! To je to!*

– Evo, ovaj je za vas! – podigla je crtež na kojem je bio nacrtan šareni pravougaonik.

– Zlato bakino, je li to... ram za sliku... ili prazna slika, ne vidim dobro... – požalila se baka.

– Pa, i jedno i drugo, u ovom ramu ćete gledati sopstvene slike, sve one najlepše uspomene koje poželite oživeće vam pred očima – objasnila im je Jelena.

– E baš nam to treba! – oduševio se deda i platio joj koliko za sladoled.

– Hvala lepo – odgovorila je devojčica, zamotala crtež u rolnu, zavezala ga svilenom trakom i pružila baki u ruke.

Mama je posmatrala ceo kupoprodajni događaj iza tezge, nije se mešala. Psiholog joj je lepo objasnio da Jelena mora sama da uspostavlja kontakt sa ljudima...

Malo posle toga, priđoše njihovoj tezgi dve devojke u kratkim suknjama. Nosile su iste bluze, imale su istu frizuru, čak su im i usne bile namazane istom bojom.

Obema su im štikle cipela utonule u mekanu zemlju nadojenu kišom koja je padala protekle noći.

Došaptavale su se nešto, a jedna od njih se stalno kikotala. Probale su raznorazne šnale i na kraju obe kupile iste. Stavile su ih odmah u kosu, obe iza uha s leve strane. Tada je ona devojka što se stalno kikotala primetila Jelenu i prišla joj. Ona druga devojka, koja je po svemu bila ista, sada je najednom postala različita, jer nije pokazivala nikakvo interesovanje za Jelenu i njene radove.

– Baš su ti lepi crteži! – oduševljeno reče devojka.

– Hvala – odgovorila je Jelena. – I ti si lepa.

– Hvala. – Devojka je bila zatečena komplimentom, pa je upita kako se zove.

– Jelena. A ti?

– I ja isto – nasmeja se toplo devojka.

– Hoćeš li da kupiš jedan crtež, pretvoriće ti se u stvarnost?

– Ja bih, al' nemam više novca. Ostalo mi još samo za jednu vožnju, čuvam za večeras – izvinjavala se devojka.

– Ma dobro, nema veze. Mogu ja i da ti poklonim jedan.

Jelena je ustala da pogleda malo bolje. Zna šta traži, *sad je bio tu... Evo ga!*

Pružila je devojci u ruke list papira na kojem je nacrtala polovinu crvene jabuke.

– Ne shvatam. Hoće li se jabuka pretvoriti u pravu kada budem gladna? – pitala je tiho devojka, pomalo postiđena što ne razume.

– Ma, neee! Kad nađeš onog koga ćeš voleti, svoju drugu polovinu, jabuka na crtežu će postati cela – objasnila joj je Jelena i presavila crtež na četvrt, da ga devojka može staviti u torbicu.

Devojka je pažljivo pohranila papir sa neizvesnom ljubavnom budućnošću u torbicu i izvadila iz nje nekoliko preostalih bombona:

– Ovo ti je za nagradu umetnice.

– Sretno! – viknula je devojčica za devojkom Jelenom koja je zamicala sa svojom identičnom drugaricom.

– Dobar dan, devojčice! – iznenadi je zbunjujući glas. Mislila je da je ženski, ali kada je podigla glavu sa bloka za crtanje ugledala je muškarca.

Bio je smešno obučen.

Nosio je uske srebrene pantalone, koje su ličile na ženske štrample, i pelerinu iste boje. Preko ramena mu je visila kožna torbica, koja uopšte nije priličila muškarcu.

– Dobar dan – otpozdravi Jelena bojažljivo.

– Tvoji crteži se pretvaraju u prave stvari?

– Aha – tiho odgovori.

Mama je iza tezge ispitivački posmatrala mršavog čoveka. *Kakav čudak*, koža joj se naježila pri pomisli kako takvi kao on mogu da naude naivnim devojčicama.

Razgledao je okolo, podizao crteže da ih bolje osmotri, čak se drznuo da zaviri i u onaj što je Jelena upravo crtala. Kad ga je mati videla kako se naginje tako blizu devojčice, odmah je viknula:

– Jelena, dođi da ti dam soka, dehidriraćeš na tom suncu!

Jelena je ustala kao po komandi, mamini signali su oštro prodrli u njen zatvoreni svet, ali je čovek u srebrnoj odori zaustavi rukom.

– Eto, taj želim! – pokazao je na crtež u njenoj ruci.

– Ali nisam ga još dovršila.

– Nema veze. Meni je i toliko dovoljno. Koliko tražiš?

– Koliko god date, koliko vama vredi.

– Meni je to od neprocenjive vrednosti, ja nemam toliko da ti platim – iskreno reče čovek, fasciniran crtežom.

– Onda, kao za limunadu – odgovori Jelena, dajući mami znak očima da je sve u redu. Čovek joj dade sav sitniš koji je imao u torbici i produži zadovoljno svojim putem.

– Bože, kakav čudak! – konačno dade sebi oduška mati dok je sipala u čaše hladan sok iz termosice.

– Mama, vidi koliko mi je para dao, mogu da kupim nove bojice! – ushićeno uzviknu Jelena dok je pila sok i brojala zaradu.

– Koji je crtež kupio? – interesovala se mama, već pomišljajući kako je uzeo neki sa nacrtanim detetom.

– Onaj sa krilima. A nisam ga dovršila... – promrmlja zabrinuto devojčica i vrati se u svoju stolicu da nastavi crtanje.


Sati na vašaru su brzo prolazili, osim za Jelenu, za koju vreme nije postojalo. Njenom svetu nisu bile potrebne vremenske jedinice, sve se delilo na ideju i kreaciju.

Približavala joj se grupa bučnih momaka i Jelena, već na prvi pogled, tako izdaleka, oseti nelagodu.

Ismejali su se glasno njenoj oglasnoj tabli.

– Ha, ha! Ma šta kažeš, crteži postaju stvarnost?!

– Možeš li da mi nacrtaš vreću punu para? – pita mladić kojem su na podlaktici istetovirana četiri ocila.

– Mogu da ti nacrtam vreću, ali ne mogu da crtam unutar nje. Za pare nemam odgovarajuću bojicu, nikada ne bi postale prave – ozbiljno mu odgovori Jelena.

– Možeš li da nacrtaš jednog ustašu pa da ga mlatimo za zabavu? – pita je drugi sa tetovažom orla.

– Šta je to ustaša?

– Pa, neprijatelj! – uzvikuje, ne verujući da dete ne razume.

– Pa mogu, ali moraš tačno da mi kažeš po čemu je on drugačiji od bilo kog drugog čoveka, da ti ne nacrtam nekog prijatelja pa da njega istučeš – mudro će devojčica.

– Čuj, po čemu je drugačiji... – odustade momak od prohteva.

– Hajde, mala, nacrtaj mi jedan dobar nož – pomalo naređivački dobaci treći momak, zamahnuvši rukom na kojoj blesnu tetoviran kalašnjikov.

– Ne crtam oružje – odgovori Jelena, pomalo već uplašena.

– *Ne crtam oružje* – ponovi ovaj, imitirajući devojčicu.

Jelenina mama ih je posmatrala sa strane, razmišljajući da li da se odmah umeša i prekine provociranje. Znala je da će se dete povući u sebe i povređena propatiti ostatak dana. Ali samo što je zakoračila prema njima...

– A možeš li meni ... – nije uspeo da završi rečenicu četvrti momak. Introvertna devojčica je viknula koliko je grlo nosi:

– Ostavite me na miru! Sami ste se već iscrtali, šareniji ste od mog bloka! To što ste na sebi našarali to je vaša budućnost, to je ono što prizivate u stvarnost. Rat i ubijanje!!! Evo, ovo je sve što ja mogu da vam nacrtam!

Zgrabila je olovku i nacrtala veliki sapun. Pružila im je srdito crtež, zatvorila blokove i okrenula svoju reklamu na drugu stranu.

Na njoj je pisalo:

*ZATVORENO*

# ŠARLO

Š arlo se nervozno spremao za nastup. Skinuo se u gaćice i energičnim zamasima zaprašivao puderom svoje žilavo telo. Kihnuo je dva puta nadražen praškom i to ga je još više iznerviralo, jer mu se od toga kvarila šminka koju je već naneo na lice. Bio je smešten u malom šatoru, toliko niskome da nije mogao da se uspravi, pa ga je zaboleo vrat od pogurenosti.

Oduvek je bio drugačiji, smatrao je sebe paćenikom, bićem niže vrednosti. Zato se i odlučio na umetnost koja će ga podići u visine.

Reč akrobata potiče od grčkih reči *akros*, što znači *visoko*, i *bat*, što znači *hodati*. Ne bi se bolje ni moglo objasniti Šarlovo zanimanje.

Ljudi su uglavnom potcenjivali veštinu koju je on godinama studirao na Državnoj akademiji za cirkusku umetnost u Budimpešti, gde je bio jedan od najboljih studenata. Profesori su ga izuzetno cenili, jer je uspeo da razvije originalan stil, skakutao je po žici baš kao feder.

Zbog toga ga i prozvaše Šarlo Feder.

Po završetku studija dobio je, po preporuci, posao u čuvenom talijanskom cirkusu, Medranu, gde se zaljubio u Lorenca, bacača noževa. Mnogo ga je voleo, pratio ga je kao senka, ukorak, po celoj Evropi. Dozvolio bi Lorencu da vežba na njemu satima, ponekad bi zatvarao oči i sanjario o slatkoj smrti. Zamišljao je kako ga je Lorenco pogodio nožem u srce i onda ga kroz krikove očajanja ljubio i dozivao nazad u život, dok je on tako slatko umirao u rukama najvoljenijeg.

Mnoge su godine prošle, mnogi noževi prozujali pored Šarlove glave, a Lorenco mu nikada nije uzvratio ljubav. On je voleo Izabelu, kraljicu trapeza.

Jednoga dana, duboko razočaran, Šarlo je odlučio da napusti Medrano.

Slomljenog srca i ispunjen tugom vratio se u rodnu Srbiju.

Potucao se od cirkusa do cirkusa, nesretan i depresivan. Davao je mnogima da ga vole, noć, dve u cirkuskim vagonima, ali mu ta ljubav nije prijala. Kao da je time, namerno, bez imalo ljudskog dostojanstva, kažnjavao samoga sebe...

Udahnuo je duboko, dok je navlačio uske srebrene pantalone koje su izgledale kao ženske štrample. Za nastupe nije oblačio bluzu, tog jutra je izbrijao prsa na kojima je svetlucao lančić s medaljonom, oproštajni poklon od Lorenca.

Još samo kožne patike, srebrena pelerina i spreman je za nastup...

Petnaest metara duga žica bila je razapeta između montažnih stubova na nekih dvanaest-trinaest metara visine. Između stubova, koji su služili i kao merdevine, bio je ogoljeni plato prekriven betonskim pločama. Između njega i žice nije bilo ničeg:

Šarlo je znao da bi postavljanje sigurnosne mreže umanjilo vrednost njegovog umeća.

Publika ga je nestrpljivo čekala.

Šarlov menadžer je uključio cirkusku muziku preko razglasa i pompezno najavljivao atrakciju koja sledi:

*Dame i gospodo, Šarlo akrobata, poznatiji širom sveta kao ŠARLOOO FEEEDER!!!*

Na zvuk aplauza, Šarlo je izašao iz niskog šatora i konačno se uspravio. Koračao je laganim korakom do bližeg stuba. Tu se zaustavio, poklonio se publici, i popeo gipko u skokovima uz stub, kao divlja mačka.

Na vrhu stuba je stajao mirno minut-dva, kao spomenik od srebra, dok mu se povetarac drsko zavlačio pod pelerinu.

Dole, među publikom, stajali su Lazar i njegov deda. Lazar je već pokazivao nestrpljenje, a dedu je potkočio vrat od gledanja u visinu.

– Deda, što on sada stoji gore, što ne krene? –

– Treba mu vremena da se skoncentriše – umirivao ga je deda.

Šarlo je skinuo pelerinu i bacio je teatralno na zemlju. Zakoračio je pažljivo na žicu, procenjujući koliko će mu vremena trebati da je savlada. Znao je da ne sme olako preći s jedne strane na drugu, morao je da pokaže napor, da se bori za balans, da maše rukama kao da je izgubljen, da se ponekad i pretvara da će pasti.

Neki od artista na žici su koristili kišobran za održavanje ravnoteže, lepezu ili dugačku motku. Drugi su mogli da prenesu čoveka na leđima, da žongliraju zapaljene baklje ili da voze mali bicikl.

Šarlo nije koristio rekvizite.

On bi se sklupčao kao lopta, bukvalno seo na žicu koja bi mu se uvukla među polutke stražnjice i tako skakutao kao otpali feder iz starog kreveta. S vremena na vreme, kada bi osetio da gubi pravac, raširio bi ruke da povrati ravnotežu.

Narod je posmatrao Šarlove kretnje, žedan i gladan senzacije.

Kad bi pomislili da će pasti, oči bi im zacaklile nekim lucidnim sjajem, a na licu blesnulo prikriveno iščekivanje tuđe tragedije.

Pašće…

…neće

pašće….

..neće.

Kada je akrobata na žici prebrodio krizu prvog padanja, iz publike se začuše zvuci podrške i ohrabrenja, koji su pozivali na novi skok… *Na novu šansu da padne…*

Skandirali su u jedan glas:

*Šarlo Federu!*

*Šarlo Federu!*

Akrobata na žici je prikupljao snagu za još jedan feder-skok, taman da skoči, kad se iz publike začuše povici:

– Šarlo Pederu! Šarlo Pederu! –

Ljudi su se smejali, neki se pridružiše skandiranju tetoviranih mladića:

– Šar-lo Pe-de-ru!
– Šar-lo Pe-de-ru!

– Deda, meni se čini da bi ovi ljudi najviše voleli da on padne – prošaputa Lazar.

– I meni se tako čini, dete. Šta ćeš, tako ti je od davnina... Još kad su se gladijatori borili s životinjama ljudi su fascinirano gledali kako mnogi od njih bivaju rastrgnuti i pojedeni na njihove oči. Panem et circenses.

– Šta to znači deda?

– Znači *Hleba i igara.* To je stara latinska izreka koja kaže da narod uvek izabere hranu i zabavu pre sopstvene slobode. Tako mnoge države kontrolišu svoj narod, zaglupljuju ih nekom besplatnom zabavom, da se ne bi pobunili i tražili svoja prava. U starom Rimu su to bile gladijatorske borbe i cirkusi, a danas je to televizija. Kad narod tako oglupi i otupi, ništa ga više ne može uzbuditi osim skandaloznih stvari i loših vesti. Sve što je lepo i normalno, takvom narodu postaje dosadno.

– Deda, nije valjda da su i Srbi takvi? Ja stvarno ne želim da ovaj čika padne.

– Sunce dedino, nemoj da brineš – pomilova ga deda po glavi, izbegavajući odgovor i podiže glavu prema akrobati koji se opet nesigurno ljuljao na žici.

Šarlo je osećao kako mu po telu izbijaju graške znoja.

Gubio je koncentraciju.

Možda od vrućine.

Možda od neumesnog dobacivanja.

Možda, jer ga je još boleo vrat.

Možda, jer je žica bila deblja i oštrija nego uobičajeno.

Možda, jer je podsvesno i želeo da padne.

Pogledao je dole u ljude.

Bila je to bezlična masa, bez boje i mirisa. Ličili su na gusti rogoz izrastao oko ravničarske bare, kako se njiše i talasa, kako ga zove da padne dole na mekanu mahovinu. Znao je Šarlo da se oni nadaju njegovoj nesreći, imali bi šta da pamte do kraja života, da pričaju svojoj deci i komšijama, a ovako… Zaboraviće njegov nastup čim se zaustave kod sledeće vašarske atrakcije.

– Šar-lo, pe-de-ru!
– Šar-lo, pe-de-ru!
Narod se glasno smejao, ne sluteći da je vazduh počeo da vibrira od snage njihovog smeha i da se vibracija prenosi na Šarlovu žicu. Žica je počela da se ljulja gore, dole, levo, desno!

Gubio je kontrolu nad svojim telom. Pokušao je da raširi ruke, ali mu je vazduh pružao čelični otpor.

*Zašto mi ovo govore?*

*Zašto me ljudi vređaju?*

*Zar njima išta postaje bolje od toga što mene ponize.*

*Žele da me sruše, a ne slute da sam srušen odavno.*

Osetio je kako ga obuzimaju mučnina i vrtoglavica.

Obuzeo ga je strah.

*Nemam snage…*

*...zar sam ovo zaslužio...  Kakav ružan kraj*, razmišljao je grozničavo.

Probao je da se uhvati za žicu, ali nije uspeo.

Sve se dogodilo u deliću sekunde, skliznuo je celim telom naglavačke, samo se još prstima desnog stopala držao za žicu!

– Jao! – uzviknuše deda i Lazar uglas.

– Aauuuu!!! – čuo se huk publike.

Šarlov menadžer je pritrčao ispod žice i odmahivao, dajući ljudima znak da ne prilaze. Nešto je govorio Šarlu i u isto vreme panično telefonirao, nadajući se da će izdržati dovoljno dugo na žici dok mu ne stigne pomoć.

Svi su napeto iščekivali šta će se dogoditi, hoće li se akrobata spasiti ili će pasti pravo glavom na beton.

Lazar je bio uplašen, deda ga je smirivao, mada se nije mnogo nadao. Povukao je dete iz gomile na livadu, da ne vidi nesreću, ako se ne daj bože dogodi...

Šarlo je sve to video iz sasvim nove perspektive.

*Uvek je, dok je hodao po žici gledao ispod sebe, u zemlju koja ga je privlačila magnetnom silom i remetila mu ravnotežu; razmišljao o sebi kao gubitniku, o čoveku koji prelazi samo kratke puteve koji nigde ne vode...*

*Tek sada, dok je visio naglavačke, uvideo je uskost i ograničenost svog razmišljanja.*

*Gledao je opčinjen u plavetnilo neba, video je svoju stopu, za koju je bio siguran da se oslonila na oblak. Osetio se sigurnim i spokojnim, utešen činjenicom da se je ono što je bilo gore zamenilo sa onim dole.*

*Nije video ni početak, ni kraj, sve je izgledalo beskrajno i neograničeno!*

**Kako ovo nisam ranije primetio?!**

*Posmatrao je dubinu i širinu prostora, osećajući sebe kao neizostavan deo tog prizora. Strah od padanja je nestao, bio je siguran da će, i ako padne, pasti u meke beličaste oblake, a ne na betonski plato.*

*Pred očima su mu se mešali oblaci i slike iz detinjstva, majčin topli osmeh sa odsjajem sunca, Lorencov glas sa zvukom crkvenih zvona u daljini. Mešale su se boja melanholije i plava boja nebeskih očiju uprtih u njegov nastup....*

*Bez ikakvog napora je zakoračio stopalom leve noge na žicu i zastao na njoj naopačke!*

*Njegovo telo nije imalo težinu, stopala su mu se lepila za donju stranu žice.*

*Pobediti, pobediti poraze ... prvi korak mu je uspeo.*

*Voleti, voleti sebe ... drugi korak mu je uspeo.*

*I još jedan!*

*I još jedan!*

*Korak po korak, prešao je celu žicu naopačke!*

*Kad se domogao stuba na kraju žice, uspravio se ponosno na vrhu.*

*Gledao je u publiku s visine.*

*Nisu aplaudirali.*

*Nije im se naklonio, ni mahnuo rukom ... Nije se ni osmehnuo.*

*Stajao je gordo i nemo na stubu.*

*Nije mu bilo važno da li će ga i koliko dugo pamtiti, da li će prepričavati događaj svojoj deci i komšijama.*

*Nije mu bilo važno da li će opet hodati po žici ... ili neće više nikada ...*
*Nije mu bilo važno hoće li ikada pronaći Lorenca ...*
*Samo mu je jedno bilo na umu, da sada, kada ima krila, može slobodno da leti ...*

Ljudi su gledali u akrobatu koji je izgubio ravnotežu na žici. Visio je naglavačke minut, dva, pre nego su mu prsti desne noge, kojima je pokušavao da se pridrži, skliznuli sa žice.

Padao je polako i graciozno, kao pahulja najčistijeg snega, kao latica najlepšeg cveta nošena vetrom sudbine.

Kada je dotakao beton, rasprhnuo se kao maslačak.

# SAŠA & SRBIJA

*Jebi ga*, pomislio je Saša kad je otvorio oči. Sanjao je celu noć kako je zarobljen u metalnoj kutiji i kako se guši u njoj. Pokušavao je da je razbije, da probije rupu ne bi li se dočepao vazduha, ali nije uspevao. Taman kad je pomislio da će umreti, probudio se.

Dok je kuvao jutarnju kafu slušao je majčine prigovore na koje je već postao imun. Još bi pomislio neko slušajući njeno zvocanje, da je on kriv što *fakultet koji je završio nije perspektivan, što nema posao i što još živi sa roditeljima.*

I otac je gunđao iz druge sobe, smetalo mu je što Saša gubi vreme svirajući u bendu, *pa da je makar kakva normalna muzika, nego lupaju bez ikakvog smisla i pevaju protiv države.*

Znao je Saša da ga posle njihove naizmenične solo uvertire čeka maltretiranje u duetu; *šta on misli, dokle će ovako, zašto neće da istovara robu kod Blagoja, mora od nečega da se živi, misli li da jednog dana treba da se ženi i ima decu, kako se Mišo lepo snašao, ne prima platu, ali mu makar uplaćuju penziono…*

Kafa mu je presela. *Bilo bi mi bolje da sam umro u snu, da se nisam ni probudio.*

---

*Dosta mi je svega.*

Osetio je izazov da obeleži svoje nacionalno postojanje. Poneo je novca koliko je već imao, veliki ruksak, seo na pohabani bicikl i uputio se na Mihajlovac.

Pred njim je bila velika kupovina.

Prvo je kupio srpsku zastavu, posleratno izdanje u kojem je petokraku zamenio grb s belim orlom.

*Vidi ove ptičurine, k'o neki neuspeo genetički eksperiment, razmišljao je.*

*Dvoglav, mršav, raskrečen i razjapljenog kljuna, kao da krešti u ropcu... kao da ga nevidljiva ruka stišće za gušu...*

*Majku mu, baš tako se i ja osećam.*

*Jedna mi je glava u besmislenoj sadašnjosti, a druga glava lebdi u još besmislenijim snovima. Odrapio sam na faksu sedam godina, a likovi bez škole voze džipove i nose Armanijeva odela. Državom haraju lopovi i kriminalci, rađaju se dinastije srpskih Rokfelera, a ja još uvek molim ćaleta za kintu da kupim cigare.*

*Baš kô ovaj orao, sedim prikovan, ne mrdam iz mesta... Osećam kako mi se steže omča oko vrata... i dok spavam... Jebi ga, ako nešto ne uradim, ugušiće me...*

Stavio je zastavu u ruksak i krenuo dalje u kupovinu.

Kupio je nekoliko muzičkih diskova.

*Crkvena duhovna muzika...*

*Staviš lepo ovaj disk, pa slušaš kako je dobro biti pokoran, gladan i siromašan.*

*Siguran sam da ga snimaju na prazan stomak!*

*Da, da ... upravo takve bog najviše voli ... Ne voli on one što imaju privatna preduzeća, jedu po restorani-*

ma i putuju po svetu. Bog voli one što pate, jebem li mu narav sadističku...

A tek ovo, novokomponovane četničke pesme...

Plaše i srpsku decu, a kamoli ostalu. Ne zvuče kao one što ih je moj pradeda  pevao u Prvom svetskom ratu... Ma šta pesme, valceri... Valceri za devojke koje su ostale tamo daleko... Kakvo, bre, današnje četništvo, pa ovo je uvreda za naše pretke, uvreda za nas i naša buduća pokolenja.

Vidi ovaj disk, sve bolje od boljeg!

Slepi guslar peva o Kraljeviću Marku, najvećem srpskom junaku koji se zajedno sa Turcima, koji su mu oca ubili, borio protiv nas samih... Nije ni čudo što smo ovako sjebani, kad nam slepci prepevavaju istoriju.

I ovaj moram da kupim, disk sa himnom Srbije!

Pa ko to još kupuje?

Možda bi joj trebali samo promeniti naslov u – Sačuvaj me, bože, božje pravde.

Spakovao je diskove u ruksak i krenuo dalje u kupovinu.

Kupio je orden, Karađorđevu zvezdu.

Zvezdo, zvezdice, toliko si pojeftinila, može svako da se odlikuje i bez zasluga! A i taj Karađorđe, što smo mu slavu naduvali... siromašan seljak koji je od služenja po tuđim kućama dogurao do kraljevske loze... A u međuvremenu, i sopstvenog oca ubio. A njega opet ubio kum, jer je i on, onako nepismen, hteo da ima svoju kraljevinu.

Jebem ti mentalitet, svako bi da bude kralj...

Kupio je i sliku kosovskog boja, kartu velike Sr-
bije čije su plaže izlazile na Egejsko more i od ono
malo para što mu je još ostalo, čokanjče šljivovice
koje je na licu mesta naiskap popio.

Za hrabrost.

Otišao je na čistinu između tezgi sa kolačima i tu
demonstrativno istresao sadržaj ruksaka na zemlju,
sve na jednu gomilu.

Izvadio je iz džepa farmerki bočicu sa benzinom,
polio po stvarima koje je kupio i kresnuo šibicu.
Znamenja su planula, a žene sa tezgi s kolačima ci-
knule preplašene kao da ceo svet gori:

ZOVITE MILICIJU!!!

ZOVITE MILICIJU!!!

Narod se u trenu okupio oko čudnovate vatre
koja je mirisala na nacionalnu izdaju.

Gledali su radoznalo u mladog piromana koji se
ludački cerio od zadovoljstva dok je skidao sa sebe
odeću i obuću, i bacao ih na lomaču.

– Gori nesrećo!!! – vikao je Saša glasom koji se
prolomio vašarom dok je onako nag, beloput i neu-
hranjen skakutao oko vatre.

Vatra se, potpirena povetarcem sa Save, širila i
postajala sve snažnija, ljudi su se odmicali po korak
unazad jer ih je toplota žarila po obrazima.

Saša je neumorno igrao oko lomače kao da je
potpuno izgubio vezu sa ovim svetom.

Plamen je poprimio oblik užarenog tornada koji
je pretio da zapali i uništi sve oko sebe. Ljudi su sve

brže izmicali unatraške pod pretnjom vreline, prodavačice kolača su kukale na sav glas!

Čokoladne glazure su se topile, kreme se rastapale, a torte menjale oblik.

Kad gle čuda!

Vatra je poprimila oblik džinovske devojke!!!

Bila je tako lepa, onako užarena i gola, nije se moglo očiju s nje skinuti. Buktala je kao vulkan, kao skulptura od lave. Kosa joj je u slapovima padala do zemlje, satkana od rasplamsalih crvenih i narandžastih plamenova, koji su se prelivali kao griva rastopljenog zlata.

Ispružila je ruke prema Saši, kao da ga želi u zagrljaj.

On je stajao zbunjen ispred nje, osećao je kako ga struja vuče sve bliže njenom telu, kako nema snage da joj se odupre.

– Zdravo Saša – pozdravi ga vatrena devojka.

– Ko si ti?

Saša je zaprepašteno gledao u najtoplije oči koje je ikada video.

– Ja sam Srbija – predstavi se ona.

– Srbija???

– Da, Srbija. Ja sam tvoja voda, tvoja zemlja i tvoj vazduh. Ali ti si me danas prizvao kao vatru.

– Hoćeš li sada da me izgoriš za kaznu jer sam zapalio tvoja znamenja?

– To nisu moja znamenja – nasmejala se devojka dok se naginjala prema njemu.

– Kako misliš, nisu tvoja znamenja? Ove zastave, grbovi, ordenja? – Saša je pokazivao na ugljenisane predmete ispod njenih užarenih stopala.

– Ove stvari koje si zapalio nisu moje znamenje, meni ništa ne znače. Ti si Saša moj znamen. Ti, i ovi ljudi oko tebe, srpska deca koja tek treba da se rode.

Gledao ju je s nevericom.

– Vi ste moja snaga, i moja lepota – nastavila je, – onoliko koliko vas ima, toliko sam i ja velika. Onoliko koliko vi vredite, tolika je moja vrednost. Moje je znamenje sve ono lepo što izumite i uzgojite, moja su ordenja vaša plemenitost, hrabrost i mudrost. Ali ponekad... – uzdahnula je duboko, – ponekad ste i moja sramota. Destruktivni i nesložni, ne shvatate da me uništavate.

– Ali ceo svet je protiv nas!

– Saša, tražeći slobodu od ostatka sveta postajemo zarobljenici sopstvenih malih interesa. Moramo se hrabro nositi sa onim što se danas naziva istinom, i biti spremni da će se ta istina možda već sutra promeniti. Naša istorija menja pravac kao nabujala reka, izliva se iz korita i nekontrolisano nam nanosi poplave. Ne smemo kriviti druge što nisu onakvi kakvi bismo mi želeli da budu. Ma koliko da nam je teško treba da krivimo sebe što nismo onakvi kakvi bismo trebali biti. Svakog dana treba učiniti korak prema budućnosti, ne sme se zaostajati!

– Izvini – izusti Saša gledajući je zadivljeno.

Mogao je i da umre sada, zajedno sa svojom lepom Srbijom. Pružio joj je ruke u zagrljaj, i ona ga je podigla visoko u naručje, kao majka svoje dete.

Vrtela ga je u krug tako prigrljenog; osećao je kako polako prelazi u neki bolji svet… Pre nego se ošamutio od vreline, vatrena devojka ga je spustila nazad na zemlju.

– Zašto me vraćaš dole? – upita razočarano. – Zar nećemo umreti zajedno?

– Ludice, nisam htela da te ubijem. Htela sam samo da vratim oganj u tvoje zaleđeno srce. Znam da ti je teško, nasledio si grehove svojih predaka. Ali veruj mi, bilo je i gore, moraš imati snage da se boriš. Iz naše zemlje još izvire bistra voda i rađaju semena, treba ih samo složno posejati. Ne gubite vreme na znamenja, znamenja vas neće spasiti. Ne odlikujte se ratnim ordenjem, već tolerancijom i razumom. Planirajte svoje bitke u miru, decenijama unapred, ne stavljajte me na prodaju u ruke onih koji previše obećavaju. Rađajte mi decu, bez dece mi nema opstanka. Saša, nemoj me izneveriti… – nežno mu je rekla pre nego mu je dotakla čelo vatrenim poljupcem.

Tada je Saša izgubio svest, a devojka se ugasila kao da nikada nije ni gorela.

Narod se krstio po nekoliko puta, niko nije mogao da objasni to grandiozno i vatreno priviđenje u sred bela dana.

Uskoro je stigla i policija, izvršili su istragu, ali od nacionalne izdaje nije bilo ni traga.

Na livadi je ležao nagi mladić bez svesti.

Kad se probudio, Saša je obukao svoju odeću i razbacane sitnice sa zemlje potrpao u ruksak.

Nikakva vatra nije tu gorela, zaključila je policija, pa su ga pustili da sedne na bicikl i ode kući. Ljudima su naredili da se raziđu i da ne alarmiraju ubuduće javne organe bez razloga, jer je to ozbiljan prekršaj.

Žene koje su prodavale kolače klele su se u svoju decu i pokazivale na uništene kuglice i torte; *eto, dokaz je ipak postojao*, ali policajci im nisu verovali. Zapretili su još prodavačicama sanitarnom inspekcijom, jer se takve namirnice ne smeju izlagati i prodavati na vrućini.

I, kao što to obično biva u našem narodu, priče o čudnovatim pojavama putuju brže od svetlosti. Od usta do usta, i već su sutradan došli na Mihajlovac novi vernici da se poklone mestu na kojem se prikazala Vatrena devojka.

Navodno je baš tu, gde je vatra gorela, narastao preko noći veliki prsten od detelina sa četiri lista. Ne smeju se, kažu brati; onaj ko zakorači unutar kruga, na to sveto parče srpske zemlje, postaje istinski Srbin.

*Jebi ga*, pomislio je Saša kad je sledeći put došao da prošeta Mihajlovcem. U ruci je stiskao pismo kojim ga je stric pozivao u Kanadu.

Još nije odlučio.

Gledao je u nebo koje se spremalo na počinak.

Prisećao se Vatrene devojke i njenih reči da je *promena zakon života, i da oni koji gledaju u prošlost uvek promaše budućnost…*

Sunce je umorno zalazilo iza brda povlačeći za sobom zavese sumraka. Mesec se nazirao u svojoj misteriji, besmrtan i snažniji od svake nepravde.

Niz Sašine obraze tekle su krupne suze odluke.

*Svako ide za svojom zvezdom…*

Nije ni primetio u mraku da stoji u sred prstena od detelina.

# STRAH OD SLATKIŠA

Tamara je čistila lišće koje je vetar naneo na njenu tezgu. Uredno je poređala, po veličini i vrsti, džemove i marmelade, sokove, slatka, kompote, ušećereno i sušeno voće... Kupci su često komentarisali da je njena tezga, najslađa tezga na celom vašaru!

Sve su to napravile Tamara i njena mama, po starim bakinim receptima. Svake godine su vredno radile od ranoga proleća do kasne jeseni, počele bi s jagodama, a završile s ozimim jabukama. Nešto od tog voća bi kupile, a ostatak ubrale u šumi. Najmukotrpniji deo posla bio je vađenje koštica iz višanja i lubenica, i ceđenje gustih sokova kroz tanku gazu.

Poneki kupac bi prokomentarisao visoku cenu njene robe, ne shvatajući koliko je ljubavi i truda uloženo u tu malu teglu. Tamaru nisu vređali takvi komentari, ona bi se uvek potrudila da objasni kako je sve napravljeno od najkvalitetnijeg organskog voća i bez konzervansa. Nabrojala bi sve faze majčinog i svog rada, od procesa nabavke, preko branja, pranja, guljenja, kuvanja, pakovanja i distribucije. Ljudi bi tada uvideli da su brzopleto potcenili vrednost slatkog i zdravog zalogaja.

Staklene flaše ispunjene gustim sokovima, i poklopci na teglama imali su šarene nalepnice različitih oblika, sa nazivom produkata. Tamara im je nadevala imena, uživala je u tome kao devojčica kad imenuje svoje lutke.

Na džemu od višanja je stajala nalepnica *Evin poljubac*. Marmelada od kajsija se zvala *Sunčana ogrlica,* a sok od šljiva *Perunov nektar.*

Prvo što je rasprodala sa tezge bilo je nadaleko čuveno *Vilinsko slatko* od šumskog voća.

– Tamara dete, kolika si narasla! – Prišla joj je punačka, veoma uzbuđena, teta Bosa. Zagrliše se i izljubiše, nisu se videle od prošlogodišnjeg vašara. – Mnogo si omršavela, sad si prava lepotica! Koliko ono imaš godina? – odmeravala ju je od glave do pete dobronamerno Bosa.

– Devetnaest – tiho reče Tamara crveneći.

– A gde ti je mati?

– Mama nije došla na vašar, teta Boso. Nije se osećala dobro, pa sam ja došla sama ove godine.

– Nadam se da nije ništa ozbiljno?

– Nije, nije ozbiljno.

– A Tamarice, jesi li se setila da sačuvaš za mene koju teglu *Vilinskog slatka*?

– Jesam, teta Boso, evo čuvam tri tegle za vas – reče Tamara vadeći ih iz kutije ispod tezge.

Bosa joj je zahvalila i stavila ih u svoju pijačnu torbu. Opet su se zagrlile i izljubile, *do sledeće godine...*

Tamara je osećala nelagodu u želucu gledajući za teta Bosom. Nije mogla da razluči od čega je najviše

nagriza muka: od tuge, razočarenja, osećanja samo-
će ili činjenice da je upravo postala lažljivica. Slagala
je teta Bosi.

Mama je bila savršeno zdrava, mogla je da dođe
na vašar, kao što su i dolazile zajedno već petnaest
godina.

Istina je bila da nije htela da dođe.

Grdno su se posvađale.

Po ko zna koji put, Tamara je preslišavala njihov
poslednji razgovor. Nije htela da uvredi mamu, nije
nameravala da joj prebacuje, ali eto... mama se na-
ljutila, nije htela ni da je sasluša... *sve zbog slatkiša i
onih batina...*

Udahnu duboko, osećala se kao crni biser koji
je umesto sjaja, skrivao strah unutar školjke, tužan
i ranjen.

*Prokleti džemovi i marmelade*, Tamara ih je mr-
zela.

Uspomene su navirale kao rojevi pčela. Svaka je
zujala sve glasnije i ujedala je sve bolnije.

Pogledala je prema mašini sa raketama u kojoj su
deca cičala od radosti.

Gore, dole, gore, dole... kao da stvarno lete kroz
vasionu!

Kad je bila devojčica, tata ju je često dovodio na
vožnje takvim raketama. Uvek su čekali da padne
mrak da krenu na vožnju, tata je rekao da se tada
bolje vide šarena svetla lampica na krilima rakete.
On bi joj uvek prepustio upravljanje raketom, svo-
jom sitnom ručicom bi pomerala prečku gore, dole,
gore, dole, vriskajući od uzbuđenja. I tata se rado-

vao kao malo dete, kako su samo bili bliski, kako su se voleli. On je uvek imao vremena za nju, svoju jedinicu.

Mama je, činilo se Tamari, uvek bila više zaokupljena sobom, svojom garderobom, frizurom i izgledom. Radila je kao učiteljica muzike u osnovnoj školi, a u popodnevnim i večernjim satima je i sama uzimala privatne časove klavira i usavršavala svoje umeće. Činilo joj se, da je jedino vreme koje su njih dve provodile zajedno bilo kad je pomagala mami u pripremi džemova i marmelada.

Mama joj je strogo branila slatkiše i šećer i učila je još od malih nogu da vodi računa o svom telu, da se ne pretvori u debelu devojčicu. Nije bilo lako razumeti svet odraslih. Kuća je bila preplavljena slatkišima, a mama joj je branila da ih jede…

Ali tata bi se često uveče ušunjao u njenu sobu i doneo joj krišom od mame neki od slatkiša da se zasladi. Lizala ih je strepeći da mama ne čuje, da ih ne zatekne, jer tata ju je upozorio – ako ih mama ikada uhvati neće se dobro provesti!

Godine su prolazile, Tamara i tata su postajali sve bliži, a mama sve dalja.

Učestali su časovi klavira na koje je mama išla, tri puta sedmično, pet puta sedmično… Tamara se osećala zapostavljenom i uskraćenom za majčinsku ljubav. Kada joj je bilo devet godina, počela ja da izbegava društvo, donosi loše ocene iz škole, beži sa nastave.

Gorko je bilo Tamarino sećanje na dan u kojem je njena mama zapakovala dva velika kofera i otišla da privremeno predaje muziku u drugom gradu, da zameni neku učiteljicu koja je otišla na trudničko bolovanje. Mama joj je na rastanku obećala da će dolaziti kući svakog vikenda, i da će je dovoditi kod sebe kad sredi sobu koju je iznajmila.

Devojčica je ostavljena s nadom i obećanjem.

Ali nada i obećanje bili su kao prevrtljivi drugovi, stalno su se skrivali od Tamare...

Otac ju je tešio i ljubio pred spavanje, zvao je svojom princezom i pokušavao da je obraduje poklonima. Njegov glas je tupo odzvanjao u njenom praznom biću, čula ga je, ali mu nije odgovarala.

Meseci su se vukli kao godine, odbrojavala je svaki dan do maminog povratka, sve dok se konačno nije, sa ista ona dva velika kofera, vratila njihovoj kući. Kad je ugledala Tamaru, prvo što je rekla bilo je da je postala DEBELA devojčica!

Koliko je prezirala samu sebe u tom trenutku!

Godine su prolazile, svako je krio svoje tajne i recepte za preživljavanje. Mama je usavršavala džem od krušaka sa grožđicama, tata joj je i dalje krišom od mame donosio u krevet šećerne poslastice, a ona se povlačila sve dublje u sebe, daleko od vremena i prostora u kojem je fizički postojala...

Kad joj je bilo petnaest godina, otac je iznenada umro od srčanog udara. Nije se jasno sećala tog događaja, ali je dobro pamtila čudnovato osećanje olakšanja koje nije smela nikome da prizna.

Nekoliko meseci nakon očeve smrti, Tamara je konačno, po prvi put, smogla hrabrosti i snage da se poveri majci u vezi sa slatkišima koje je jela krišom od nje.

Nikada neće zaboraviti te batine!
Nikada!

Što je više potiskivala to bolno sećanje, ono je sve snažnije i češće probijalo u svakodnevnicu, kao kipuće ulje koje svojom snagom podiže poklopac... i prži... prži do kosti.

Te batine joj već godinama ne daju mira.

Kada se poverila mami, ona je uzela gajtan od pegle i istukla je njime. *To joj je bila uteha za priznanje!*

Posle tih batina, Tamari se činilo da nema izlaza iz provalije na čijem je dnu živela zarobljena godinama. Osećala se kao bezvredno biće koje nema svrhu postojanja. Preživela je batine, ali je tog dana i umrla...

Godine su prolazile...

Prolazile su bez smeha...

Njih dve su spavale na jastucima prećutkivanja i pokrivale se jorganima satkanim od iluzije. Obe su se trudile da zajedničke trenutke ispune radom. U poslednje tri godine prevazišle su same sebe u proizvodnji džemova i sokova. Mama je još uvek predavala muziku u školi, Tamara se spremala za fakultet...

Pre dva dana, dok su pakovale kutije koje će poneti na vašar, Tamara je osetila strahovitu potrebu da se vrati prošlosti. Preplavio ju je nemir... u njenom detinjstvu ostao je nered koji se morao pospremiti.

Bojažljivo, dok su pakovale teglice, spomenula je mami *one batine.*

Nadala se da je mama sada dovoljno jaka da razume njenu tajnu.

Nije tražila ništa osim zagrljaja i utehe.

Nije nikog optuživala.

Mislila je da zaslužuje smiraj nakon svega što se desilo. Htela je da zakopa strašnu uspomenu, sahrani je i konačno zaboravi.

Pokušala je da objasni mami da su njene rane svakim danom sve dublje, da se grčevito bori da ne razmišlja o prošlosti, jer joj sve čega se seti zadaje bol, strašnu fizičku bol.

Trudila se svim silama da izbriše slike iz detinjstva kao da nikada nisu postojale, ali su iz duboke podsvesti svakodnevno iskrsavali košmari na pučinu razuma.

Monstruozne senke su je pratile kuda god bi krenula, sprečavale su je da se opusti i osmehne, držale je u sadističkom zarobljeništvu iz kojeg nije mogla pobeći.

Plakala je na kolenima pred mamom.

Plakalo je celo njeno telo, ne samo oči, dok je mami objašnjavala kako joj je detinjstvo bilo gorko i čemerno, u kući punoj šećera.

Tamara je molila mamu samo za jednu stvar, da joj kaže reči razumevanja, jer su one bile ključ njene tamnice.

Preklinjala ju je da konačno shvati da joj je tata donosio štapiće s marmeladom u krevet još kad joj je bilo šest godina...

Štapići koje je u strahu lizala... nisu bili štapići...

U vožnjama na vašaru, Tamara nije upravljala raketom… upravljala je tatom, dok ga je pomerala gore, dole, gore, dole…

Mama je pokrila uši rukama da ne čuje kako je Tamari bilo teško kad su joj se drugarice poveravale šta će da rade sa dečacima kad odrastu… jer, ona je to već radila… sa tatom.

*Za istinu je, kao i za ljubav, potrebno dvoje,* pomislila je Tamara gledajući kako se marmelada, iz tegle koju je namerno ispustila, polako razliva i meša sa staklom i vašarskom prašinom.

# RINGIŠPIL

Branka je stajala sa porodicom u redu za sladoled kada joj je neko prišao iza leđa i dlanovima nežno poklopio oči.

– Dragička! Pogodi ko je! –

Glas je zazvučao kao ruska balalajka.

Ko bi drugi mogao biti, nego Katarina?!?

Nisu se videle tolike godine i srele su se sada na vašaru sa dečurlijom i muževima!

Izgrlile su se i izljubile, ispredstavljale svaka svoju porodicu i onda se izvukle iz reda za sladoled ostavljajući muževima na muku da se bore sa decom, brojem kugli i vrstom korneta.

Dok su bile devojčice, obe su živele u Šapcu, u istoj ulici, u istoj zgradi.

Branka je bila dete molera i krojačice.

Živela je sa porodicom u prizemlju, u stanu od pedesetak kvadrata u kojem je, osim nje, bilo još sedam duša: baka i deda, Brankini roditelji, dve starije sestre i neudata tetka. Kad se još dodaju bakina reuma, dedina skleroza, tetkini uzavreli hormoni, sestre koje se tuku čiji je red za kišnu kabanicu, mamine mušterije koje se prepiru da se nisu ugojile nego da je ona uzela pogrešne mere, očeve kante i četke koje su se sušile naslonjene po zidovima, Branki se činilo kao da živi na najprometnijoj železničkoj stanici.

Zato je najviše volela da se igra sa Katarinom. Ona je živela sa roditeljima na četvrtom spratu u stanu od sto kvadrata, sa dva kupatila i velikom terasom. Imala je i psića koji se je, kao i ona, rodio u Rusiji. Njena mama je uvek bila zauzeta učenjem monologa i uloga koje je izvodila u pozorištu, a tata je često putovao, kao da i nije živeo s njima. Katarini se činilo da u njenom životu nedostaje makar jedna sestra sa kojom bi podelila obilje igračaka koje joj je tata donosio s putovanja.

Zbog toga je najviše volela Branku.

Katarina i Branka su bile nerazdvojne, sedele su u istoj klupi, svakog dana su išle i vraćale se zajedno iz škole, pisale zadaću i maštale kako se nikada neće rastati.

Zajedno su pošle u gimnaziju, delile tajne i Katarinine lepe haljine, ponekad čak i simpatiju. Maštale su da će se venčati istog dana, da će se njihova deca družiti, da će zajedno i stariti…

Ukratko posle njihove mature, Katarinina mama je dobila važnu ulogu u nekoj televizijskoj seriji i morali su zbog toga da se presele u Moskvu…

Od tada se Branka i Katarina nisu nikad više srele. Prošle su mnoge godine, pisma su prestala, rodila se mnoga deca, a one već i zaboravile na svoje snove i obećanja iz mladosti.

– Ne mogu da verujem da se uopšte nisi promenila od gimnazije! – ushićeno će Katarina dok je nežno rukom sklanjala pramen kose sa Brankinog lica.

Branka je, zatečena tim majčinskim gestom, posmatrala i razmišljala ... *Bože, kako je samo lepa, najlepša na svetu.*

Katarina je pričala, pričala ...

S vremena na vreme bi čvrsto zagrlila Branku, nije mogla da kontroliše radost koja je kipila iz njenog bića. Konačno je opet srela najdražu drugaricu! Kako se samo moglo dogoditi da se izgube jedna od druge?

Branka joj se osmehivala, prikrivajući svoju zbunjenost i zatečenost trenutkom koji ju je vratio u daleku prošlost.

– Ma neka muževa s decom, hajdemo malo da se prošetamo, toliko toga imamo da nadoknadimo – predložila je Katarina i povukla Branku za ruku.

– Sećaš se one naše divne učiteljice iz prvog razreda? Srela sam je jednom na Kalemegdanu – prepričavala joj je susret.

Branka nije pažljivo slušala Katarininu priču, jer joj se u glavi vrtela vlastita priča.

*Kako je se ne bih sećala, učiteljica Dara, sa velikom punđom i još većim nosom. Koliko god da sam se trudila, ona bi uvek uzela tvoju svesku da je pokaže za primer drugim đacima... ti prepišeš zadatak od mene i dobiješ peticu, a meni jedva četvorka...*

– Sećaš se kad smo se igrale s onim slepim dečakom iz naše zgrade, pa mu svirale kobajagi koncert!? – sa smehom se prisećala Katarina.

*Kako se ne bih sećala, u mojoj kući nije bilo mesta za cipele, a kod tebe smo mogle trčati oko grand klavira... ja sam duvala u zarđalu usnu harmoniku koju sam našla na ulici, a ti si tipkala po dirkama od slonovače... Marko je bio slep, ali je čak i on rekao da si lepša od mene...*

– Sećaš se kad smo išli na ekskurziju u Budvu, pa smo ubacile mrtvu ribu u krevet onoj što nas je stalno ogovarala? – neumorno je brbljala Katarina dok je vadila ljude i događaje iz zajedničke korpe prošlosti.

*Sećam se, kako se ne bih sećala mora, plakala sam dve nedelje jer moji nisu imali para da mi plate ekskurziju, umalo da ostanem kod kuće... Srećom tetka je izvukla neke pare iz babinog jastuka za koje je i ona već zaboravila da ih ima...*

– A sećaš li se onog visokog momka sa maturske večeri što su mu pukle pantalone, pa si mu ti zavezala stolnjak oko struka? – Katarina je i dalje izvlačila fragmente mladosti.

*Ah, maturska, kako da to zaboravim? Nije me niko pitao za ples, svi su stajali u redu ispred tebe, dok si sijala kao zvezda. A taj sa stolnjakom, za njega sam se udala, nisi ni primetila...*

– Branka, hajdemo da se provozamo na ringišpilu, molim te, molim te!!!

Kao dete molila je Katarina Branku budeći je iz transa u kojem je prelistavala sopstvena viđenja prošlosti.

Branka pristade, pa stadoše u red pred ringišpil koji je raširio  svoje lance kao džinovski oktopus.

– Ja ću platiti! – veselo će Katarina.

– Ne, ja ću platiti, ja sam domaća ovde, ti si sada Beograđanka – u šali odmahuje rukom Branka.

Katarina se smejala, nije mogla da veruje svojoj sreći da je srela svoju drugaricu, svoju izgubljenu sestru.

– Branka, ne upitah te šta radiš, čime se baviš?

– Trenutno ništa, nema posla. Radila sam kao knjigovođa u nekoj firmi, ali je sve propalo. A ti?

– Radim kao kostimograf u pozorištu.

– A čime se bavi tvoj muž, odakle je on?

– On je iz Beograda, upoznali smo se u Moskvi. Zbog njega sam se i vratila u Srbiju. Inače je hirurg, plastičar. Zateže lica estradnim zvezdama – nasmeja se Katarina.

– A tvoj?

– Građevinski inženjer… Ni on trenutno ne radi, nemaju posla.

– Pa draga Branka, kako živite, kako hranite decu? – zabrinuto je pogleda Katarina.

– Ma snalazimo se, pomažu moji, pomažu njegovi. Hajdemo, naš je red!

I sedoše dve drugarice na veliki, stari ringišpil koji je počeo polako da vrti svoje dugačke krake, a onda sve brže i brže.

Ljudi su vrištali koliko ih je grlo nosilo, uzbuđeni od vožnje, uzbuđeni od straha da ringišpil ne iskoči iz svoje baze, i ne odleti u nebo zajedno sa njima.

– BRAANKAAA! – dozivala je Katarina svoju drugaricu glasom milozvučne balalajke i toplo joj se osmehivala. Nije mogla da se smiri od kako joj je Branka rekla da ona i muž ne rade. *Bože, mora da im je jako teško. Branka je stvarno veliki borac, uvek je bila istrajna i čvrsta, kako sam mogla samo dozvoliti da ona plati karte, umesto da je deci kupila ono za šta je namenila novac,* brinula se Katarina. *Mila moja Branka, zašto sam izgubila vezu s njom… najbolja drugarica na svetu, uvek puna razumevanja i saveta…*

Branka se nije osmehivala Katarini, nije joj bilo do smeha. Osećala je kako joj centrifugalne sile probijaju zid stomaka i stvaraju mučninu koja nije slutila na dobro.

*Povratiću, povratiću… Uhhh samo još ovaj krug. Možda će mi biti lakše ako zatvorim oči… Kako joj je samo kosa negovana, doterana, a mene šiša komšinica koja radi u mesari… A tek što je vitka, kako joj samo pantalone stoje. Ja još uvek kô krofna… Njena bluza je skuplja od svega što imam u ormaru. Uh, što mi je muka…*

– BRAANKAAA!!! – mahala joj je Katarina s osmehom sreće koji ni brzina okretanja ringišpila nije mogla izbrisati.

Branka bi se osmehnula nazad, ali joj je na lice izbijala mučnina iz stomaka… Nije više bila sigurna da li joj je muka od vožnje ili ljubomore koja joj se uvrtela u glavu… Stisnula je vilicu u grču, ali reči su se mimo njene volje otisnule u eter:

– UVEK SAM TI ZAVIDELAAA!!!

Osetila je na trenutak olakšanje, izbacila je kamen iz duše, ali to osećanje nije dugo potrajalo.

Utroba joj se ispuni tegobom srama…

Kad bi samo mogla vratiti ringišpil unazad!

Njene reči su putovale do Katarine kroz vrtlog ringišpila, provlačile se užurbano kroz karike lanaca,

ispod savijenih,
i preko ispruženih ljudskih nogu,
gubeći poneko slovo…
Katarina je dobila poruku, sretno se osmehuje,
pogledom šalje ljubav i odgovor drugarici:
– I JA SAM TEBE UVEK VOLEELAAA!
Ringišpil je polagano usporavao, umoran od
okretanja i prenošenja poruka.
Sišle su bez reči sa vrteške, i krenule da pronađu
decu i muževe.
– Lepa ti je kosa – izustila je tiho Branka, oseća-
jući duboku grižu savesti.
– Nije to moja kosa, to je perika – odgovori Ka-
tarina bez osmeha.
– Ne razumem. Je li to neka nova beogradska
moda?
– Ne, nije moda… Opala mi je kosa od hemote-
rapije.
Branka zastade u mestu, postiđena i poražena.
Znala je da treba da se izvini, da kaže nešto uteš-
no, ali umesto reči navirale su joj samo suze.
– Nemoj plakati molim te, ovaj susret s tobom
mi je nahranio telo i dušu, bolje od ikakvih lekova.
Zagrliše se, tako krhke i lomljive, čas žene, čas
devojčice. Katarina je otvorila svoju tašnicu, izvadi-
la koverat i pružila ga Branki.
– Molim te uzmi ovo, ovo ti je poklon od mene,
za naše detinjstvo, za naše drugarstvo, za našu mla-
dost, za naš rastanak.
– Ma ne mogu, Katarina, šta mi to daješ?
– Molim te Branka, uzmi! Preklinjem te! Otvo-
ri kad dođeš kući. Nije novac, kunem ti se! Samo

karte za pozorište koje meni ne trebaju, nemam ja vremena za to, a ti možeš da povedeš muža i decu.

Branka popusti, stavi koverat u tašnu i upita Katarinu za adresu u Beogradu.

– Nema svrhe da ti dajem adresu, upravo treba da se selim, pa kad se smestim javiću se ja tebi.

Naiđoše muževi s decom i prijateljice se još jednom poljubiše i rastadoše, svaka svojim putem...

Branka je skoro i zaboravila na koverat koji je nosala u tašni desetak dana, dok ga konačno jedne večeri nije otvorila.

U koverti nisu bile karte za pozorište. Bio je plaćeni aranžman za dve nedelje na Korziki, za četiri osobe.

*Draga Kaća... uvek dobra i nesebična. Kad je učiteljica Dara našla karikaturu s velikom punđom i nosem, i pretila da će onaj ko je to nacrtao biti izbačen iz škole, Kaća je sve priznala, samo da mene spasi...*

Sedela je do kasno u noć, uz zapaljenu sveću, misleći koliko je lepih trenutaka u životu upropastila zavideći stvarima koje su nebitne, a celo to vreme je imala ono što joj je istinski trebalo, najveće blago na svetu, svoju Kaću.

Negde oko jedan iza ponoći, plamen sveće je zatitrao pozivajući Brankinu pozornost. Mahnuo joj je u znak pozdrava i onda se najednom ugasio.

Brankino srce je zadrhtalo... Katarina joj se javila, kao što je i obećala.

Preselila se na mesto bez adrese.

# KAD BI SVI
# LJUDI NA SVETU

D eda, zašto svi ljudi na svetu ne govore istim jezikom? Zamisli kako bi to to bilo lepo kad bismo se svi razumeli?

– Ah, dete moje… – nije završio deda, gledao je sumnjičavo u oblake.

Počela je kiša.

Dosadna, sitna, hladnjikava, nedovoljno upečatljiva, a ipak dovoljna da svakome pokvari raspoloženje i omete ga u vašarskim aktivnostima.

– Neće ovo dugo, hajde da se sklonimo pod onu jabuku! – pokaza deda rukom ostarelo drvo pa potrčaše da se sakriju ispod guste krošnje.

Narod se razbeža unaokolo, prodavci su užurbano pokrivali najlonom robu razasutu po tezgama.

Deda je gledao setno na vašarsku poljanu.

*Od tezge, do tezge, kao od čoveka do čoveka, svaka je priča različita… ali kraj je uvek isti. Iza svakog vašara ostane samo usamljena livada…*

– Deda, nisi mi odgovorio! – opomenu ga Lazar koji je rukom na kojoj mu je bio privezan crveni balon nežno prelazio preko urezanih imena na stablu, *Žana voli Stefana.*

– Šta Lazo? Šta ti nisam odgovorio? – ne može deda da se priseti.

– Pa što svi ljudi ne govore istim jezikom?

– A to…hmm… Ne znam, Lazo, nikada nisam razmišljao o tome. Ali da znaš, ima o tome jedna interesantna biblijska priča.

– Molim te, deda, ispričaj mi –navaljivao je Lazar.

Deda se nakašlja da pročisti grlo, proveri krajičkom oka sivo nebo i privuče dete bliže.

– Nekada davno, pre hiljade i hiljade godina, na dalekome istoku, cvetala je zemlja zvana Mesopotamija. Bila je smeštena između reka Tigrisa i Eufrata, u veoma plodnom podneblju. Narod je bio uman i vredan u svakojakim zanatima i veštinama. Obrađivali su zemlju i gradili kanale za navodnjavanje, bavili se trgovinom i astronomijom. Čak je i danas nejasno kako su mogli znati za sve one planete koje su prikazali na svojim reljefima. U to vreme ljudi još nisu izumeli papir, pa su utiskivali podatke u ploče od meke gline, koje su posle sušili na suncu. U vatri su pekli glinene blokove od kojih su zidali kuće i hramove.

Bili su izuzetno vešti graditelji, prvi su počeli da grade piramide, takozvane zigurate, i velelepne palače ukrašene mozaicima i zlatom. Viseći vrt koji su sagradili svojoj kraljici Semiramidi smatra se za svetsko čudo.

I onda, jednoga dana u vreme vladavine Nabukodonosora, ljudi su došli na ideju da izgrade veliku kulu, toliko visoku da se njome popnu u visine do samoga Boga!

Počeše je zidati u gradu Vavilonu, pa je ostala poznata u pričama kao Vavilonska kula.

Ali od svega što ti deda sada priča, najinteresantnije je to što su tada svi ljudi govorili istim jezikom, baš kao što si ti rekao da bi bilo dobro. Svako je svakoga podjednako razumeo, nije čak bilo ni različitih dijalekata.

– Šta je to dijalekt deda?

– To je ono kad mi kažemo *deda*, a doktor Vaso kaže *djed*. U Crnoj Gori kažu *đed*, a na hrvatskom primorju *dida*.

– Znam, znam, to je kao lepo, lijepo i lipo.

– Jeste, baš tako. Gde sam ono stao?

– Kod Vavilonske kule!

– Kao što ti rekoh, prosto je neshvatljivo kojom se brzinom razvijala Mesopotamija. Izgradnja Vavilonske kule je neverovatan poduhvat jer tada ljudi nisu imali struju i građevinske mašine.

Zbog te stvaralačke snage i sloge koja je vladala među njima, ljudi su i osetili da mogu da se vinu tako visoko, do samoga Boga.

– Pa jesu li se popeli do njega? – ne može Lazo da sačeka.

– E, moje dete, ne idu stvari tako lako. Nije ni Bogu bilo lako da gleda kako su se ljudi odvažili, zato je odlučio da im rasturi posao.

– Jao, deda, je li opet poplavio čitav svet? Taj tvoj bog k'o moj drug Rašo! Kad god vidi da neko slaže kocke bolje od njega, on dođe i sve nam razruši!

– Nije poplavio svet, samo je zbunio ljude tako što im je pomešao jezike, da ne mogu više da se sporazumevaju. Zbog toga nisu ni završili kulu. Od tada je čovečanstvo razjedinjeno, svako vuče na svoju stranu.

– Deda, da znaš da sam strašno razočaran u tvog boga. Sve što napravi, pokvari… I nije ga briga koga će sve povrediti kad se tako naljuti. Pa što mu je smetalo da ljudi budu ujedinjeni i naprave tu kulu, kad im je već podario pamet?

Deda se zamislio, nije mu bilo lako da na neka Lazina pitanja brzo nađe uverljiv odgovor.

– A kako to, deda, da je bog napravio prvog čoveka po svome liku, je l' to znači da je bog muškarac i da ima onu stvar?

– O dete moje, šta tebi sve pada na pamet! Ma ne misli se u fizičkom smislu, to je samo simbolika. Odnosi se na to da smo umni, osećajni i kreativni kao sam Bog.

– I da odmah rušimo i ubijamo kad nam se nešto ne sviđa… baš kao i on što radi! – pametuje dete.

– Lazo, nemoj tako da pričaš, može da te čuje, pa da se naljuti.

– Čime još da me kazni deda? – pogleda ga dete očima punim suza.

Deda se zbuni. Bio je zatečen…

Rekao bi Lazaru nešto utešno, ali se bojao da ga glas ne izda.

Prigrlio je dete, kao da grli celi svet, započet i nedovršen u svojoj lepoti.

Lazar je plakao.

Suze su oticale iz njegovih očiju kao sitne, nevine reči koje nikada neće biti izgovorene.

Jecao je neutešno za onim što mu je nedostajalo, za onim bez čega nije mogao da raste.

Bojao se da ne zaboravi majčin glas...

Koliko ga već dugo nije čuo...

Zar postoji išta lepše od maminog glasa i osmeha kad se ujutro nagne nad njega da ga poljubi i probudi?

U krevetu je čuvao maminu bluzu, s njom je spavao svaku noć. Izvadio je iz korpe za pranje veša, onog istog dana kad je nestala. To mu je bilo najbliže što je imao od nje, miris njenog tela na neopranoj bluzi.

A šta ako ga je mama zaboravila...

Ako sad voli nekog drugog...

Ako neko drugo dete sada budi ujutro i pravi mu doručak.

Nema mame da ga poljubi u glavu kad se udari... Ljube ga tata i deda, ali... nije to isto.

Nema mame da čitaju zajedno *Zabavnik* i prepiru se *da li je za verovati ili ne...*

Nema mame da ga vodi u školu i šapne mu na uvo kako ga voli, da ne čuju druga deca... Svakog bi mu se dana učinilo da je vidi kako zamiče iza ograde kod škole.

Nema mame da mu priča kako je rastao u njenom stomaku i kako je padao sneg kad ga je rodila...

*Nema mame...*

*Nema...*

U daljini se začula grmljavina.

*Grdi me dedin bog,* pomislio je Lazar, *jer muška deca ne bi smela da plaču.*

Ali Lazar ga se nije plašio, prkosio mu je plačući i ridajući sve glasnije i bolnije, ne bi li stvarnost promenio svojim krikovima.

I deda je plakao, jer krikovi deteta su bolniji od proboda mača. Kroz suze je pogledao u oblačno nebo da proceni koliko je daleko grmljavina, *ako je blizu, ne bi smeli stajati pod drvetom*, i tada se suočio s dva velika identična oblaka, dva tamna oka.

Pomislio je kako je ceo život o tome sanjao, da bude izabran, da se nađe oči u oči sa Bogom.

*Sve na ovom svetu je Božja volja.*
*Snaga udisanja i izdisanja.*
*Otkucaji srca.*
*Zakon življenja i kazna umiranja.*
*Svrha postojanja.*

Gledao je ponizno u oči Stvaraoca, svoga oca, oca sveta i oca svih sudbina.

Osetio je kako mu se na vrh jezika gomilaju molitve, i njegove, i njegovih predaka.

Sada je prilika da izgovori jednu od njih, oči u oči, sigurno će biti uslišena.

*Ali koja je od njih najvažnija?*

*Ne bi smeo staviti sopstveni interes pred interes celog sveta?*

Nebeske oči su stajale na nebu široko otvorene u iščekivanju.

Deda pogleda u ranjeno dete u svom zagrljaju. Rukom mu je pomilovao kuštravu kosicu, i pomislio kako bez obzira na to što je odan vernik, ipak nije istinski hrišćanin.

Iako je voleo Boga, mnogo više je voleo svog unuka.

Voleo je to krhko biće koje mu se u brk smejalo pričama o samovolji Gospoda.

O prevarenoj Evi i kazni isterivanja.

O vriskovima žena koje proklete od Boga u muci rađaju decu uz vriskove zaklanih jaganjaca.

O bratu koji ubija brata bez razloga.

Samoljubivim Božjim zapovestima.

Poplavama koje odnose nevinu decu.

Izabranom narodu i moru koje se otvara.

Bezgrešnom začeću maloletnice.

O osvetoljubivosti Božjeg karaktera.

Blagoslovenim naoružanim ratnicima.

Pljačkanju i ucenama u ime krsta.

Svetoj knjizi ispisanoj ljudskim rukama.

I njenoj sličnostima s mnogo starijim mitovima...

Pogledao je u oči od crnih oblaka.

Obuze ga snaga prašine od koje je sačinjen, osetio je ponos na svoju malenkost, i umesto da konačno izusti molitvu, progutao je, nije ništa rekao.

Oči sveta se uvređeno sklopiše.

Kiša je prestala.

# ZA ANIN ROĐENDAN

*Punih četrdeset pet… Kako je vreme proletelo… Poslednjih dvadeset godina, kao dvadeset dana. Niko se nije prisetio mog rođendana, svi su zauzeti kafanom i pevačicama…*

Ana se iskrala iz velike šatre, ostavljajući za sobom tridesetak raspoloženih gostiju, uglavnom muških, koji nisu skidali pogleda sa bine na kojoj su pevale Lena i Nena.

Nadala se da njen suprug, vlasnik te privremeno postavljene kafane na vašaru, neće primetiti da je izašla na trenutak. Cele večeri nije ni progovorio s njom. Bio je zabrinut zbog lošeg prometa i male posećenosti, pa je trčao unaokolo oko gostiju, muzike, oko konobara da ga ne pokradu… *Nije mu moj rođendan ni pao na pamet,* pomisli duboko povređena.

Nekada davno i Ana je pevala, sanjala o budućnosti i naslovnim stranicama. Obasipali su je ponudama sa svih strana, ponekad je nastupala mesecima bez dana odmora. Bila je lepa, skladnog tela, prijatna i za oko i za uho.

*U moje vreme, devojke su pokazivale ono što im je priroda dala, a ne kô ove Lena i Nena… lažne trepa-*

*vice, silikoni u grudima i stražnjicama, veštački umeci kose, hemikalijama izbeljeni zubi… napumpane usne od ko zna kakve injekcije… Nijedan savet neće da prime, kao da ja ništa ne znam o pevanju… ljubomorna sam, baš sam ljubomorna,* priznade iskreno Ana.

Njeni sinovi, blizanci, pomagali su ocu u kafani. Očekivala je makar od njih da se prisete njenog rođendana, ali… *valjda je i njih ponelo ovo vašarsko uzbuđenje, pa zaboravila deca…*
Svojoj deci je uvek najlakše oprostiti.

Šetala je oko velike šatre i prisećala se onih dana kad je bila mlada i popularna, kad joj nisu dali da siđe sa bine, kada je bila u centru pažnje gde god bi se pojavila.
*Kako sam samo lepo pevala…*
Mnogi su je tada savetovali da se ne udaje mlada, nego da ide u Beograd i gradi karijeru, ali ona se zaljubila do ušiju i poželela da što pre bude supruga i majka. Rodila je sinove veoma mlada, *uskoro će i oni svojim putem, ostaću bez dece. Ne kajem se, ali trebala sam pričekati još koju godinu… Ovako, mladost sam dala mužu i sinovima, a sad se ni mog rođendana ne sete… Više im nisam potrebna.*
Između mašine koja je prodavala čokoladice i mašine s limenkama Coca Cole, ugledala je Zoltara, mašinu koja ispunjava želje.
Ljudi su se zaustavljali i znatiželjno zavirivali u Zoltarevu kućicu. Ipak, retko ko bi ubacio novčić, jer to bi bilo bacanje para.

Pa ko još veruje da mašina može ispuniti želje ljudima?

Zoltar je bio lutak, napravljen u prirodnoj veličini čoveka, ali samo od struka do glave. Noge mu nisu ni trebale, pa gde bi još on to išao. Sedeo je u staklenoj kućici sa rukama podignutim iznad kristalne kugle, kao da je živ.

Na svakom prstu je imao po zlatan prsten sa velikim svetlucavim kamenom. Na glavi je nosio turban od žute svile, i bluza mu je bila od istog materijala. Preko bluze je nosio plavi prsluk optočen dijamantima i dugačku ogrlicu od zlata s velikim smaragdnim medaljonom. Svojim malim, pronicljivim očima, i crnom kao ugalj jarećom bradicom, ličio je na istočnjačkog čarobnjaka zarobljenog u mašini koja obećava čuda. Iako su bili svesni da ih Zoltar ne može čuti, mnogi od prolaznika bi zastali ispred njega, i pozdravili ga veselo.

*Gde si Zoltare, kućo stara!*

*Vidi ga bre k'o živ!*

*Gde si, brate Arapine!*

*Možeš li da učiniš da moja tašta nestane?!*

Naročito su deca bila fascinirana Zoltarom, ona manja su se bojala da mu priđu bliže, da se slučajno ne pokrene i ščepa ih unutra!

Kad bi se neko odlučio da ubaci novčić u prorez na kućici, prolaznici bi se okupili da posmatraju kako će Zoltar da oživi.

Prvo bi mu oči zasvetlele, kao da se njegov duh budi iz dubokog sna. Onda bi podigao glavu i progovorio dubokim, pretećim glasom:

*Aaah! Probudili ste Zoltara! Ne žalite novce, moja mudrost je od neprocenjive vrednosti! Pre nego bilo šta poželite, daću vam savet! Čuvajte se onoga što zaželite! Dobro promislite! Poželite želju sada, ili ćete se kajati celog života!*

Tada bi se upalilo crveno svetlo u kristalnoj kugli, to je bio znak onome ko ga je probudio da zaželi svoju želju. Zoltar je mahao rukama iznad kugle, a svetlo je menjalo boju u žutu, plavu, ljubičastu…

Nakon tridesetak sekundi iz proreza na mašini bi izašla kartica na kojoj je pisala čarobnjakova poruka u vezi s ispunjenjem te želje.

Ana je posmatrala ljude koji su se okupljali oko Zoltareve kućice.

Razmišljala je, šta bi poželela da joj se ispuni? Kad bi sve ovo bilo moguće, šta bi je najviše usrećilo?

Gužva oko Zoltara se raščistila, pa je iskoristila priliku da mu priđe dok nema nikoga.

Gledala ga je znatiželjno, prebrojavala dragulje kojima je bio okićen.

U njenim smeđim očima goreo je vapaj za nemogućim. U njegovim staklenim očima caklio se duboki prezir prema ljudskim slabostima.

Odmeravali su svoje snage.

*Šta bih poželela?*
*Novac? Imamo novaca…*
*Zdravlje? Pa svi smo zdravi, hvala bogu…*
*Deca? Deca su dobra…*

*Muž? Vredan je…*
*Čini mi se, sve imam, a opet… u meni tinja ova pra-*
*znina… Možda jednu nezaboravnu noć, obožavanje*
*publike, skandiranje mog imena?*

Stavila je obe ruke na staklo kućice koje ih je de-
lilo, pokunjeno sagnula glavu i tiho izustila:
– Kad bi…
Kućica se zatrese, i ona ustuknu.

*Aaah!*
*Probudila si Zoltara!*
*Tvoja želja zahteva mnogo, nadam se da si dobro*
*razmislila. Želje su jedno, a mogućnosti drugo, to*
*svako treba da zna!*
Zoltar je mahao rukama kao pomahnitao, kri-
stalna kugla se vrtela kao čigra, isijavala stotine ra-
zličitih boja!
Njegova kućica se tresla kao raketa pred lansira-
nje, Ana je sklonila ruke sa stakla i odmakla se pre-
padnuta.
*Bože, svašta!!!!*

Onda je sve stalo, Zoltar se umirio.
Iz proreza na kućici izašla je kartica i pala na ze-
mlju.
Ana je stajala zbunjena.
*Svašta!!! Pa nisam ubacila novac?!*
*Mora da ga je neko drugi pre mene ubacio, pa je*
*mašina reagovala sa zakašnjenjem?*
*Svašta!!!*

Grupa dece je trčala prema Zoltaru, pa se Ana udaljila s mesta. Karticu sa zemlje nije podigla...

Užurbano se zaputila nazad prema kafani.

Osetila je kako u njoj nema više onog nezadovoljstva, kako im je svima oprostila što se nisu setili njenog rođendana.

*Pa nisam više dete, šta će mi rođendan?*

Osećala se lepo... toliko lepo da bi mogla da od srca zapeva!

Vraćala se nazad lakim korakom, sve je bilo u harmoniji s njenim telom, i puteljak, i povetarac, nosili su je kao da leprša...

Kad je Ana ušla pod veliku šatru svi su se okrenuli prema njoj. Muzika je stala, Lena i Nena su prekinule pevanje. Svi su je gledali sa divljenjem i skandirali njeno ime:

ANA!

ANA!

Pogledala je u posetioce, i osmehnula se od srca svojim najlepšim osmehom, nije ni slutila da će ih tako obradovati!

ANA!

ANA!

PEVAJ ANA!

PEVAJ!

Gosti kafane se ustadoše u njenu čast, kao najuvaženijoj estradnoj zvezdi. Mlade pevačice, Lena i Nena, stajale su s poštovanjem na bini i čekale je da joj ustupe mesto i mikrofon.

Ana je sijala od lepote dok je koračala prema bini. Kosa joj je u dugačkim uvojcima padala na ramena.

Lena i Nena joj se zahvališe, *velika im je čast što će ona sada pevati.*

Uzela je mikrofon, činilo joj se da ga nikada nije ni ispustila iz ruke za ovih dvadeset pet godina. Svi su bili na nogama, muzičari su čekali na njen znak šta da sviraju. Ana je prišla harmonikašu i šapnula mu pesmu na uho.

*Pevaću za svoj Šabac, za ovo lepo iznenađenje,* udahnula je sretno, i bez imalo treme se predala muzici.

*Život je vetar koji snažno duuuva….*
*treba mi neko ko će da me čuuuva…*

Publika je oduševljeno pljeskala u ritmu muzike!

Čaše se prelivaju!

Čaše se ispijaju!

Čaše se lome!

Nazdravlja se i igra, odvažni su se popeli na stolove, kao da su čuvali snagu za ovaj momenat, za njen nastup! Kafana se puni ljudima, na zvuk njenog glasa, kao na zvuk čarobne frule, pristižu unutra i guraju se da joj priđu što bliže.

Ana je pevala kao nikada do tada, pogled joj je bio zamagljen od suza, sećala se starih dana, prvih nastupa u rodnom gradu…

Kad je otpevala pesmu, htela je da vrati mikrofon na mesto, ali publika je skandirala:

ANA!

ANA!

PEVAJ ANA!

I Ana je pevala celu noć!

Nikada se još nije osećala tako voljena, poštovana, tako uzvišena, uspešna i cenjena... tako slatko umorna...

– Gospođo, jeste li dobro? – upitao je nepoznati glas.

U glavi su joj se još uvek mešale boje iz Zoltareve magične kugle. Otvorila je oči i shvatila da leži na zemlji preko puta Zoltareve kućice.

– Šta se desilo? – upitala je panično ljude koji su se okupili oko nje.

– Izgleda da ste se onesvestili. Ovaj dečak kaže da je video kad ste pali. Jeste li se udarili? – ispitivao je čovek koji joj je pomagao da ustane.

– Nisam, dobro sam... Samo još malo ošamućena.

– Hoćete li da vas ispratim, gde ste se zaputili?

– Ne treba, hvala vam svima – zahvali Ana ljubazno i ljudi se raziđoše svojim putem.

Pogledala je u Zoltara koji je spokojno spavao.

Na zemlji ispred njegove kućice još je ležala nepodignuta kartica koju je izbacila mašina.

Podigla je i pročitala: *Srećan rođendan.*

Ipak je bila njoj namenjena...

Požurila je nazad u kafanu, svetla šatre su već bila napola ugašena. Gosti su otišli, njen muž i sinovi su pospremali stolove i skupljali polomljeno staklo.

Suprug je pogledao je u nju vidno razočaran i obratio joj se ozbiljnim, prekornim glasom:

– Pa dobro, gde si ti celo veče?

Gledala ga je zbunjeno, sinovi se okrenuše prema njoj, prekinuše slaganje stolnjaka.

Pogledi su im sijali.

Očekivala je da će je zagrliti i konačno joj čestitati rođendan, ali nisu joj prilazili.

Progovorili su obojica u isti glas:

– Mama, ne znaš šta si propustila! Pevala nam je Ana Bekuta!

# METUZALEMOVA TAJNA

Đorđe se dugo vozio u krug dok nije pronašao mesto za parkiranje. Mihajlovac je bio preplavljen automobilima iz svih krajeva Srbije, i onima iz inostranstva, iz Republike Srpske.

Koliko je samo večeras pretrpeo muke vozeći kroz gužvu, ko bi rekao da Šabac može da primi toliki saobraćaj… Kad je izašao iz auta, stajao je u mestu zbunjen, nije znao gde da traži ono zbog čega je došao.

Šabac je već dremao u polumraku, a vašar je svetleo kao neumorni Holivud. Pogledao je ispitivački oko sebe.

Improvizovane kafane pod raznobojnim šatorima, štandovi koji su se otegli do u beskonačnost, najveći luna-parkovi iz cele države.

Kuda da krene?

Đorđe nije došao na vašar da se proveseli uz pečenje. Ni vožnje ga nisu interesovale. Ni Vendi, najlepša vašarska pevačica.

Došao je da traži nekog čoveka iz Novog Sada, koji je prodavao knjige.

Lutao je unaokolo po Mihajlovcu i zapitkivao ljude, ali niko nije znao kuda da ga uputi. Neki su se iskreno nasmejali, ne verujući da neko traži knjige na vašaru.

Kad su ga noge već dobro zabolele, seo je obeshrabren na klupu da se odmori, pa da krene nazad kući. Osećao je kako ga obuzimaju nervoza i nezadovoljstvo, kako mu se penju uz vrat kao nevidljivi gmizavci. Protraćio je celo veče u uzaludnoj potrazi, i na kraju nije uspeo da pronađe ono zbog čega je došao.

Ustao je i nevoljno krenuo prema mestu gde je parkirao automobil. Samo što je zamakao desetak koraka, začuo je iza sebe duboki glas, baš kao kad otac doziva neposlušno dete da se vrati kući sa ulice:

*Knjige!!! Kupite knjige!*

Okrenuo se u neverici, i ugledao tezgu osvetljenu mlečnobelim svetlima, preplavljenu knjigama svih boja i veličina…

Prodavac je izgledao kao da je star nekoliko stotina godina, makar se Đorđu tako činilo. Nosio je demodirano crno odelo, i šešir na čijem se obodu odmarala prašina iz srednjeg veka.

– Dobro veče – pozdravi ga Đorđe.

Prodavac mu otpozdravi.

– Izvinite, jeste li vi Metuzalem?

– Jesam. A kako se ti zoveš junače?

– Đorđe.

– Ima li Đorđe prezime?

– Đorđe Milutinović – zbunjeno odgovori. – Tražim vas celo veče, niko nije znao da mi kaže gde ste.

– A šta ćeš, sinko, malo ko danas mari za knjige. Ljudi više vole Internet i televiziju. Ali onaj kome ja zaista trebam naći će put do moje tezge – zagonetno reče prodavac.

– Došao sam da kupim knjigu najbolju od svih!

– Hmm… – zamisli se Metuzalem – evo, vidi ovu.

Pružio mu je u ruke debelu knjigu plavih korica.

Đorđe je prelistao na brzinu, pa je vratio uz komentar:

– Ne, ova je zastarela. Ovo je pisano pre sto pedeset godina, neke reči se više i ne koriste u našem jeziku.

– Hmm… dobro… Evo, ova je novija.

Đorđe je otvorio i odmahnuo glavom:

– Ne volim ovako gusto štampane knjige sa puno opisa, dugačkih rečenica, bez dijaloga…

Prodavac je izvadio ispod tezge jednu crnu, tanku knjigu, i pružio je Đorđu.

– Čuo sam za ovu! Pisac je bio alkoholičar i narkoman, izvršio je samoubistvo… nemam baš mnogo poštovanja za takve pisce.

– Možda ovako nešto? – nije se predavao Metuzalem.

Đorđe je prelistavao, zaustavio se na tren na nekoliko stranica, pa je vratio i nju uz obrazloženje:

– Nisam ljubitelj fantazije. Uopšte ne razumem kakva je poruka knjiga u kojima radnja nema veze sa stvarnošću?

Prodavac je prevrtao knjige po tezgi, pokušavajući da nađe nešto za probirljivog mladoga kupca.

Đorđe ga je ispitivački gledao, a onda iznenada upita:

– A izvinite, koliko je vama godina?

– Trista pedeset – odgovori čovek.

Đorđe je zaćutao, bilo mu je neugodno.

Šta mu bi da pita takvu glupost, nije mogao sam sebi da se naćudi. *Dobro mi je starac i odbrusio.*

– Evo, vidi ovu.

Đorđe se nadao da je to TA… Ali nije.

– Pa ovo je običan šund… skandali i seks. Ovakve knjige nemaju nikakvu vrednost, osim da zabave dokone domaćice koje ih čitaju između dva ručka.

– Probaj ovu! – naređivački reče prodavac.

– Hmm, knjige o ratu su obična propaganda. Pobednik piše istoriju… Ja u to uopšte ne verujem.

– A ova?

– To sam već pročitao, nije nešto…

– Evo, ovog pisca svi vole!

– Rečnik? I to hazarski? Pa ne znam ni gde se govori taj jezik? – šali se Đorđe dok vraća knjigu.

– Pa evo ti ova, najčitanija knjiga na celom svetu!

– Nemojte molim vas, nisam religiozan – odmahuje rukom na Bibliju.

Prodavac je slegnuo ramenima:

– Meni se čini da ja nemam knjigu za tebe.

– Nemojte me razočarati molim vas! Znate, ja studiram književnost u Novom Sadu i profesor Radović me je lično uputio, rekao mi je da je kupio najbolju knjigu koju je ikada pročitao ovde kod vas.

– Aaaa… pa što ne reče odmah da si došao po vezi? – tajanstveno će Metuzalem glasom koji niko drugi nije smeo da čuje. – Pričekaj ovde.

Prodavac mu dade znak rukom i nestade u svom malom šatoru iza tezge.

Đorđe bi se mogao zakleti da se iz šatora čuo zvuk peska raznošen vetrom, topot konja podbodenih beduinskim mamuzama.

Zvuk istoka.

Nozdrve mu se ispuniše aromom slatkih datula i maslina.

Mirisom istoka.

– Evo je – prošaputa Metuzalem držeći pažljivo omanju knjigu u crnom kožnom povezu.

Đorđe je pružio nestrpljivo ruke da zaviri odmah unutra, ali ga preseče upozorenje:

– Ovu ne smeš ovde otvoriti! Ova je knjiga najveća čuvana tajna na svetu! Samo kada si negde potpuno sam smeš da je otvoriš, inače će ti doneti veliku nevolju.

– Pošteno. Nego koliko će to da me košta, profesor mi ne reče za cenu?

– Da ti pravo kažem, ova knjiga je neprocenjiva. Ali pošto te je uputio profesor daću ti je na poklon, ne moraš ništa da mi platiš. Samo zapamti, o njoj NE SMEŠ nikome da pričaš, niti da je pokazuješ. Ona mora da ostane TAJNA – upozori ga Metuzalem ozbiljnim glasom.

Đorđe mu klimnu glavom u znak pristanka.

Metuzalem je zamotao knjigu u novinski papir i dao mu je svečano u ruke.

– Sretno, Đorđe!

Došao je kući oko jedanaest uveče.

Ne pamti kada je bio tako uzbuđen. Pošteno se namučio, ali vredelo je. Njegovi roditelji su već spavali, a mlađa sestra je izašla sa drugaricama.

Nije hteo da požuruje sa otvaranjem knjige, presvukao se i večerao. Onda je otišao u svoju sobu, seo na pod i stavio knjigu pred sebe. Pogledao je na zidni sat, još samo deset minuta do ponoći. Odlučio je da priček na ponoć, da trenutak otvaranja knjige bude na neki način poseban...

Kad su se kazaljke poklopile, odmotao ju je iz novinskog papira u koji je bila uvijena. Mekane, lepe i tajanstvene kožne korice mirisale su na otkrovenje. Izgleda upravo onako kako je i zamišljao najbolju knjiga na svetu! *O čemu li je?* – pomisli Đorđe uzbuđeno.

*Ko ju je napisao?*
*Koliko je stara?*

Ruke su mu drhtale dok je otvarao knjigu, a ona... PRAZNA!

Nijedno jedino slovo!!!

Gledao je u neverici, ne shvatajući... *Kako to? Kako???*

Crvenilo besa širilo se sa mladićevih obraza na njegovo telo.

*Podvalio mi Metuzalem!*
*Nasadio me kô magarca!!!*

Pomisli da se odmah vrati na vašar, da se obračuna s prevarantom, ali bilo je već isuviše kasno. *Verovatno je do sada već i otišao.*

*Ama, da sam platio za ovu knjigu našao bih ga i na kraju sveta! Ma nije ni knjiga, nego beležnica!*

Oko pola jedan se smirio, bes je utihnuo, više nije bio nervozan.

Pomislio je na svoju devojku, Ninu, sa kojom je živeo u Novom Sadu, gde su oboje studirali. Sama pomisao na njenu lepotu i toplinu njenog tela bila je dovoljna da ga preplavi talas zadovoljstva.

Poželeo je da napiše neki stih. Uzeo je olovku i vašarsku beležnicu, i napisao pesmu...

*Putovao sam*
*predelima tvoje nagosti,*
*tvoje lepote,*
*penjao oblinama*
*do visina gde si izdisala maglu.*

*Silazio sam u dubine*
*gde se nebo točilo u reke,*
*u more,*
*gde oganj tvoje utrobe preti.*

*Mislio sam,*
*lepa si Nina,*
*lepša od života,*
*mogu li, molim te, na tebi umreti...*

Pročitao je pesmu naglas, slao je Nini eterom, posebnom frekvencijom za zaljubljene...

Ugasio je svetlo i ispružio se na krevetu.

Vašarsku beležnicu je stavio ispod jastuka.

Tad mu je sinulo...

Za to vreme, na vašaru, Metuzalem je pakovao svoje stvari. Proverio je još jednom pogledom na spisak, i zadovoljno odahnuo. Posao je završen, sva imena su prekrižena.

– Jesi li gotov? – upita ga Mika, prodavac sa susedne tezge.

– Jesam, samo još da presvučem ovo prašnjavo odelo...

– Ma mnogo se ti zezaš, šta ćeš ako ti se vrati besan neko od njih, da se obračuna?

– A moj, Miko, kako drugačije da im dokažem da se nisu naučeni rodili? Ova mlada generacija misli da sve zna, samo kritikuju... nijedna knjiga im ne valja.

– Ha, ha! Pa im ih zato daješ prazne, kô veliš nek' ih sami pišu kad su tako pametni! – smeje se Mika.

Metuzalem mu mahnu rukom u znak pozdrava:

– Evo, gotov sam. Moram odmah poći, valja mi voziti po ovom mraku do Novog Sada. Ajd' u zdravlje, Miko, do sledeće godine!

– Ajd' u zdravlje, profesore!

# SENKE PROŠLOSTI

Ponoćni mrak je gubio bitku sa svetlima vaša-ra. U trenutku kada su kazaljke sata pale jedna drugoj u zagrljaj i označile ponoć, gospođa Marić je sklopila svoj plišani kišobran ukrašen čipkom.

Izbegavala je osvetljena mesta, kretala se kao senka, lagana i krhka. Trudila se da bude nevidljiva, nije želela da bude primećena, niti je imala snage za bilo kakvu komunikaciju s ljudima. Želela je samo da sedne negde u mrak, da se odmori od dugog putovanja...

Dugo već nije bila u Šapcu.

Poželela se da vidi koliko je narastao, koliko se promenio. U njeno vreme bio je jedan od najlep-ših gradova, zvali su ga Mali Pariz zbog zanimljivog noćnog života koji nije zaostajao za onim u evropskim metropolama... *Još je lep,* pomisli, *mada okrnjen ratom i ljudskom slabošću.*

Pronašla je praznu klupu i sela. Svoj dragoceni kišobran i torbicu sašivenu od istog materijala, ukrašenu istom čipkom, odložila je na klupu pored sebe.

Pogledala je prema nebu, *kakva setna noć...*

Bila je sitna, veoma nežne građe.

Položila je ruke na krilo i ispružila noge ispred sebe, kao devojčica koja želi da se zaljulja.

Jedna noga joj je bila kraća od druge, iščašena po rođenju, pa ju je uvek skrivala ispod dugačkih sukanja. Pogledala je u svoje ruke, stare i izborane, nije u njima više bilo života i boje. Kad je bila mlada svirala je često na pianu, ponekad zajedno sa svojim mužem koji ju je pratio na violini.

*Ljudi stare kao drveće,* razmišljala je posmatrajući svoje smežurane prste, kao grančice koje se šire sa usahlog orahovog stabla. *Možda je bolje umreti mlad, ne doživeti ovo stanje nemoći, ne doživeti nikada sedamdeset tri godine...*

Volela je Šabac.

Tu je proživela neke od najlepših dana svoje mladosti, bezbrižnosti i prve ljubavi. Te večeri je posetila staru zgradu gimnazije koju je nekad davno pohađala, da je mine želja. Čekala je da se završi radno vreme, pa se ušunjala unutra. Sigurna je da je noćni čuvar primetio, ali nije reagovao. Prošetala je hodnicima čijeg se žamora još jasno sećala, činilo joj se da se život koji ju je napustio ponovo vraća u njeno biće.

Uvek je bila dobra i vredna učenica, naročito je volela fiziku i matematiku, što je bilo veoma neuobičajeno za devojke u njeno vreme. U mladosti je bila lepa, velikih crnih očiju i guste kose koju je krotila velikim šnalama. Volela je dugačke haljine sa čipkanim mašnama i bele bluze visokih okovratnika.

– Ljubim ruke, gospođo Marić! – prenuo je iz misli prijatan muški glas. Rukom u kojoj je nosio kišobran je dohvatio obod šešira u znak pozdrava i prošao pored njene klupe, kao da je osetio da ne želi da je iko uznemirava.

Pokušavala je da se priseti ko bi to mogao biti?

Gledala je za njim dok je zamicao u mrak, pa joj sinu da je to gospodin Veselinović.

*Nekad davno, bio je najbolji učenik šabačke gimnazije, pa posle i novinar, pozorišni glumac, dramaturg, književnik, stvaralac... a tek što je lepo pevao! On je napisao priču o srpskoj Juliji i Romeu, o Đuli i Pavlu, čije se porodice nisu volele. Jedne noći dok je Pavle čekao svoju ljubljenu na ašik mestu, napali su ga vukovi i rastrgnuli. Kad je Đula stigla na krvavo mesto sastanka, uzela je njegovu ruku i zaspala večno u snegu... Sigurno je gospodin Veselinović svratio u Šabac da poseti Ašikov grob... Baš lepo od njega što me je pozdravio...*

Muža je upoznala zahvaljujući svojoj ambiciji i ljubavi prema nauci. Bio je tri godine mlađi od nje, uvek čupav i razbarušen, oborenih očiju kao kod psetanceta kome ne možeš odoleti. Uvek je kasnio na fakultet, mrljavio zadatke, i prepisivao od nje. Za veoma kratko vreme su prirasli srcu jedno drugome i začeli dete pre nego što su se venčali. Nije tada sebi htela priznati, ali sada je bila svesna da je još od samog početka sve radilo protiv njih... naročito protiv nje.

Venčali su se godinu dana posle rođenja njihove devojčice i posle izrodili još dva sina. Deca su im bila bolešljiva, pritisak muževljeve porodice na nju neizdrživ. Nisu je voleli od prvog dana.

Ali ona je uprkos svemu vredno radila, i kao supruga, i kao majka. Porodica je za nju bila na prvom mestu.

Odgajala je i lečila decu, i uz to, pametna i ambiciozna, kakva je uvek bila, postavljala na noge svog smušenog muža i gradila njegovu karijeru.

*Da li je trebalo…*

– Dobro veče, gospođo Marić – trže je nečiji glas.

– Oh, dobro veče gospodine Lazareviću – odmah ga je prepoznala. *Uvažen čovek, rođeni Šapčanin. Bio je lekar, primarijus… član Akademije nauka.*

On zastade ispred nje, nasonivši svoj kišobran na klupu na kojoj je sedela, i pogleda u nebo:

– Kakva setna noć.

– Da – potvrdi ona ne podižući pogled.

– Morao sam da svratim, nisam mogao da odolim.

– I ja. Koliko dugo ostajete?

– Vraćam se večeras. Samo sam na kratko došao da vidim vašar i Savu. Malo sam razočaran, moram Vam priznati, koliko su ljudi promenili kulturu življenja.

– Gospodine Lazareviću, ja se ne bih brinula zbog toga. *Sve će to narod pozlatiti* – nasmeja se gospođa Marić.

– Čuvajte se vatrometa, mislim da će uskoro početi da ispaljuju rakete – posavetova je uzvraćajući osmeh, dodirnu obod šešira u znak pozdrava i produži svojim putem…

*Kakav divan gospodin,* gledala je s poštovanjem njegov obris koji je nestajao u mraku.

I za njenog pokojnog muža su govorili da je bio divan čovek, ali je ona još uvek stavljala na vagu ono što je osećala prema njemu.

Na trenutke ga je mrzela, ubeđena da je bio najsebičniji čovek na svetu... Na trenutke ga je opravdavala, optužujući sebe da ga je učinila takvim...

Nakon jedanaest godina braka razotkrila je mnoge njegove laži, afere, poslovne trikove. Videla je jasno njegovo pravo lice, pogled nevinog psetanceta više je nije mogao zavarati. Kad ga je upitala zašto zapostavlja nju i decu, zašto mu trebaju druge žene, prebacio joj je da je stroga i gruba, ravnodušna prema njegovim htenjima. Optužio ju je da nije topla, da nije sposobna ljubavnica, da ga sputava u njegovoj muškosti. Rekao joj je da mu se i ne dolazi kući, jer je atmosfera koju je ona stvorila u njihovom domu isuviše kruta i zagušujuća.

*Da li sam kriva što je prestao da me voli...*

Živeli su još pet godina u braku, u ime dece, u ime sredine, u ime još većeg poraza za nju. Počeo je da joj preti, naziva rugobom i vređa njenu porodicu i poreklo. Sve što je nekada voleo i branio na njoj, počeo je da koristi protiv nje.

*Gde sam pogrešila...*

Iste godine kad su se razveli, on se oženio svojom prvom rođakom... *ko zna koliko su dugo osim prezimena delili i krevet...*

– Draga gospođo Marić, dugo vas nije bilo u Šapcu! – prenu je glas iz bolnog sećanja. Znala je dobro taj glas, susretali su se i ranije, pripadao je gospodinu Popoviću. On je nekada davno radio kao profesor u šabačkoj gimnaziji, a posle kao upravnik Narodnog pozorišta.

– A evo me opet, šta da se radi… uspomene vuku – odgovorila je tiho.

– I mene… što vreme više prolazi, sve češće se vraćam u Šabac – naklonio se blago prema njoj sklapajući svoj kišobran i produžio putem do reke.

I on je izgledao imao *jedan od onih dana*, kad nije želeo da ga iko vidi, niti je imao snage da komunicira s ljudima. *Svako zaslužuje svoj mir*, pomislila je s nemirom kojeg nikako nije uspevala da se reši.

Posle razvoda je pokušala da sredi svoj život, ali zla sudbina ju je pratila kao senka. Borba je tek predstojala, borba za njenog sina obolelog od šizofrenije. Činilo joj se, ipak, da je svakodnevica bila okrutnija i sumornija od svih onim mentalnih institucija u koje je zakoračila. Osećala se nedovoljno jakom da se odbrani od nepravde, borila se sa sopstvenom savešću, da li je sve uradila ispravno… Možda nije trebalo prećutati?

Dok je ona venula od brige za sina, njen bivši muž je cvetao između karijere i niza javnih, besramnih afera… Svet oko sebe je zavaravao pogledom neodoljivog kučenceta.

*Nije se plašio ničega, u Boga nije verovao… stvorio je sopstveni univerzum i izumeo nove zakone…*

Pored njene klupe prođoše dve figure koje je odmah prepoznala, gospodin Cvijić i gospodin Oskar, čije prezime nikako nije mogla da upamti. Nisu je primetili, mahali su svojim kišobranima i raspravljali žustro o socijalnoj revoluciji. Nasmejala se dok su prolazili, *gospodin Cvijić nije promenio svoja interesovanja još od gimnazijskih dana.*

*Sve se promenilo, uključujući i naš lik, ali smo ipak ostali isti... Isti smo iznutra, to se ne menja...*

Pogledala je na velike vašarske mašine, letelice iz svemira. Naprosto nije mogla odoleti a da na brzinu ne proceni njihovu masu i ubrzanje. Bez obzira na godine, njen matematičarski um nije podlegao silama gravitacije. Kad je bila devojčica takve sprave nisu postojale, nije ni sanjala šta će sve budućnost doneti. Uvek je verovala u nauku, u napredak, u nova otkrića... Samo je vera u sopstvenu sreću izdala...

Smetale su joj mesečeve zrake koje su padale na njena sitna ramena i dugačke skute. *Moraću se skloniti negde*, pomislila je zabrinuto.

Ona više nije pripadala svetlosti.

*Svetlost je za mlade... za decu... ne za nas stare i grdne... Smeta mi očima... Mogao bi me neko videti.*

Nije mogla sebi da prizna, ali mnoge lepe stvari su joj smetale samo zato što su je podsećale na bivšeg muža. On je ugasio njenu svetlost kad je otišao i ostavio je samu sa decom. Ostala je u mraku stoleća, u hladu istorije, u njegovoj razbarušenoj senci.

Umesto u zagrljaju neke nove ljubavi, poživela je do starosti u naručju patnje i problema.

*Možda bi sve bilo drugačije da sam ostala u Šapcu, da nisam otišla u Zagreb... Ovde bih se udala, izrodila decu. Ali sve je relativno... Ko zna da li bih i sa nekim drugim čovekom bila sretna.*

Sedela je pokunjena, kao ranjena ptica.

Bez obzira na bol koji joj je naneo, sa radošću se sećala njegovih ljubavnih pisama, iz vremena kad su se još pisala ljubavna pisma. Osećala je da će ga jednoga dana ponovo sresti, da će imati priliku da mu kaže ono što je ostalo nedorečeno, što mu je uvek htela reći… *Dragi moj, koliko god da smo uspeli, nismo uspeli da volimo jedno drugo…*

Pored njene klupe su užurbano prolazile crne senke. Kao uspaničeni putnici koji napuštaju brod, izbegavali su osvetljena mesta i bežali s vašara u tminu pored reke.

– Požurite, gospođo Marić! Može vas neko videti! – pozivao je gospodin Stanković, *Milić od Mačve*, dok je pridržavao rukom svoju čudnovatu kapu i žurio da se sakrije.

Nebom se prolomio prasak.

Počeo je vatromet.

Pogledala je u crvenu raketu koja se rascvetavala kao nebeski tulipan. Svojom je lepotom opčinila nebo, ali sve je trajalo samo par sekundi. Zgasnula je, kao da nikad i nije bila tu, a nebom se rasprskavala plava raketa.

*Život je vatromet. Rodili smo se, rascvetali i umrli u nekoliko sekundi. Ipak, dragi moj Alberte, ti si uspeo da ostaviš trag koji te je nadživeo…*

Odlučila je da ostane na klupi i pogleda vatromet do kraja. U rukama je grčevito stiskala plišanu torbicu, ne bi li kako obuzdala uzbuđenje koje ju je obuzelo.

Zakikotala se radosno kao devojčica.

*Večeras se neću skrivati…*

# EVDOKIJA

Nosila je staro srpsko ime. Evdokija.

Nije bila sretna što su joj baš to ime nadenuli, pored toliko drugih. Jedan čovek, koji joj je bio mušterija pre pet godina, joj je rekao da ne može ništa da uradi s njom samo zbog njenog imena. *Sestro, kad sam ti čuo ime poželeo sam da se ispovedim i zapalim sveću, nije mi sad do seksa...*

I onda je odlučila da promeni ime.

Od Evdokije je postala Lola...

Nisam je dugo tražila na vašaru.

Znala sam da je radila svake godine na istom mestu, u Jevremovoj kafani. Rekli su mi, i verovala sam da je to istina, da je Lola njegovo vlasništvo, da ju je kupio pre dve godine od nekog mafijaša.

Pod izbledelom nakrivljenom šatrom, Jevrem je prodavao svinjsko pečenje, alkohol... i seks.

Naručila sam flašu crnog vina i zamolila ga da mi pošalje Lolu da provede sa mnom to veče. Platiću mu koliko god traži, obećala sam.

Nije se ni zacrveneo kad mi je zviznuo cifru, verovatno je pomislio da sam očajna.

Izvadila sam novčanik i dala mu odmah polovinu sume. *Nema problema,* rekla sam. Sela sam za kafanski sto i čekala.

Jevrem je zamakao negde iza šanka, iza zamašćenih zavesa. Otišao je da proveri da li je slobodna.

Uskoro se pojavila mlada žena i krenula prema mom stolu. Nije bilo sumnje da je to ona. *Da, to je Lola.*

Nosila je zelenu haljinu krojenu uz telo, dugu do kolena, sa dubokim ovalnim dekolteom.

Imala je velike grudi, čvrste i lepog oblika, koje su se harmonično njihale dok je samouvereno koračala prema meni. Duga, valovita kosa boje uglja padala joj je slobodno po ramenima, a na njenom lepom licu su dominirale usne, napućene, i crvene… crvenije od najzrelije trešnje. Iskreno, ne znam ni sama kako sam je zamišljala, ali zasigurno ne tako egzotično lepu i otmenu.

*Verovatno ne postoji muškarac koji je ne bi poželeo,* pomislila sam ljubomorno.

– Dobro veče, gospođo – pozdravila me je ugodnim glasom.

– Dobro veče, Lola – pokazala sam joj rukom na stolicu preko puta. Sela je i prekrstila duge noge.

Ponudila sam je čašom vina.

– Nemojte se uvrediti, ali ja ne pijem.

– Nikada?

– Nikada.

– Ni za specijalnu priliku?

– Gospođo, vama je poznata priroda mog posla. Šta bi za mene bila specijalna prilika?

– Pa ne znam, možda slobodno veče? – odgovorila sam brzopleto i osetila se glupo.

Oštro mi je odmah odgovorila, kao da je njena sudbina donekle i moja krivica:

– Ja nemam slobodu, gospođo.

Naručila sam joj sok od breskve i gledala opčinjeno u njene usne priljubljene uz stakleni rub čaše. Zamišljala sam ih, tako sočne i okvašene, priljubljene uz telo muškarca... priljubljene uz svaki deo muškarčevog tela... Te su mi se slike mešale u glavi kao opojno vino, uzbuđujuće i intrigirajuće.

– Gospođo, šta želite od mene, ne ličite mi na nekog kome su potrebne moje usluge? – trgla me pronicljivo iz sanjarenja.

– Slušaj, Lola, platila sam Jevremu celu noć sa tobom. Ne želim nikakav seks, želim da mi pričaš o sebi.

Osmehnula mi se škrto, ali pomalo i sa olakšanjem.

Ispričala mi je svoju životnu priču...

Rodila se u predgrađu Niša, u siromašnoj porodici u kojoj je otac samo na kratko gostovao.

Sećala se da je imala mlađeg brata koji je bio veoma nestašan. Dečak je jednog dana pobegao iz kuće na ulicu, a mati je potrčala za njim da ga uhvati. Nesmotrenost i nesreća odnele su dete pravo u smrt, pod točkove automobila.

Od tada je njena majka pričala samo sa sobom i svojim demonima. Sedela bi pored otvorenog prozora i neumorno pušila jeftine cigarete. Venula je

tužna žena, pretvarala se ubrzano u staricu, napu-
štena od muža, sina, i razuma.

Prestala je da brine o svojoj devojčici, nije više
ni bila svesna njenog postojanja. Lola bi sedela uz
njene noge, plakala satima moleći je da se ustane, ali
mati se nije pomerala iz stolice. Pustila je korenje,
tu, pored prozora.

Zvuk koji je dolazio iz njenoga tela bio je siplji-
vi kašalj koji je ličio na ciničan smeh veštice koja se
smeje sopstvenoj sudbini.

Lola je bila prepuštena sebi.

Iskorištavali su je raznorazni poznanici, komšije i
čike. Za kesicu bombona ili paket šarenih flomaste-
ra, neupućeno dete bi naivno pretrpelo…

Kada joj je bilo četrnaest godina, skinula je s vra-
ta lančić sa krstom i gurnula ga ludoj materi u šaku.
Napustila je dom sa rođakom koji joj je obećao po-
sao u Kraljevu, no ništa se nije obistinilo od njego-
vih obećanja. Po dolasku u Kraljevo, on ju je pretu-
kao, silovao, i prodao nekom lokalnom mafijašu.

Tako je od devojčice postala prostitutka, njeno
mlado i zdravo telo postalo je roba u rukama be-
skrupuloznog prodavca.

Novac nije smela da prima, mušterije su plaćale
direktno vlasniku, koji joj je pretio da će je ubiti ako
je ikada uhvati da sama, na svoju ruku, uzima novac
od klijenata. Živela je u predgrađu Kraljeva, u troš-
noj baraci, sa još dve devojke, narkomanke, koje su
robovale kao i ona…

Pričala mi je o muškarcima.

Mnogi su tražili da se pomokri na njih, neki čak molili i za ono drugo. Jednom je morala da povraća po čoveku.

Bilo je mnogo batina, modrica i ujeda… psovki i uvreda.

Najviše se bojala impotentnih sadista, koji su u nemoći da pokažu svoju muškost, gurali u nju razne predmete i sopstvene šake.

Osetila je moju nelagodu dok mi je to pričala i pokroviteljski mi potapšala ruku.

Rekla mi je da nikada nije strahovala za sopstveni život. Naprotiv.

Šake, udarci cipela po leđima, sečivo noža među nogama, ništa od toga nije bolelo, u poređenju sa poniženjem kad bi je muškarac pljunuo nakon seksa.

*A mnogi su je pljuvali.*

Pitala sam zašto nije pokušala da pobegne?

Pogledala me je s razočarenjem, kao da mi je sve uzalud ispričala jer ja, očigledno, ništa nisam razumela.

*A gde je mogla pobeći, kome bi otišla da je izdržava?* Iz ruku jednog vlasnika prešla je u ruke drugog, kao pijačna roba.

Jevrem je platio velike pare za nju, našao bi je i na kraju sveta da je ikad pokušala da pobegne. Nije imala nikakve dokumente, niti je kome verovala.

Osetila sam vrtoglavicu. Od njene priče, od surovosti detalja, od vina.

Lola je osetila da me je razbolela svojom ispovešću, pa je pokušala da me zaleči nastavkom.

Rekla mi je da neki muškarci nisu dolazili kod nje zbog seksa.

Dolazili su zbog druženja.

Nesretni, sami, razočarani, neshvaćeni, nevoljeni. Nisu imali kome da pričaju o svojim uspesima, strahovima, strepnjama.

Plaćali su da ih neko sluša.

Plaćali su malo njene pažnje, jer je nisu nigde drugde imali. Plaćali su joj da bude svedok njihovog postojanja, da podele s njom svoje misli.

Mnogi su je svojom pričom obrazovali, zabavljali, nasmejavali... to su bila njena najlepša prijateljstva...

Onda je podigla svoje ruke, mahnuvši njima kao leptir kad mahne nežno krilima.

– Eto, to je moja priča – završila je tiho.

Izvinila sam joj se na trenutak, jer sam morala platiti Jevremu ostatak sume, ali me je njena priča podstakla da se sa njim oko plaćanja malo drskije dogovorim...

Čekala me je strpljivo za stolom, a muškarci su je gutali pohlepnim očima i dobacivali joj...

Vratila sam se za sto i sela, gledala sam je u oči.

Došao je momenat da i ja položim svoje karte.

– Lola, nisam bila potpuno iskrena...

Oči su joj se raširile kao u ranjenog deteta, ali je hrabro progutala saznanje da je opet prevarena. Razočaranje u ljude, jedno manje više, nije joj mnogo značilo.

– Znam ja za tebe Lola. Moj muž je godinama dolazio kod tebe.

Izvinila bi mi se, osećala sam to, ali nije, jer je znala da to nije bila njena krivica.

A znala sam i ja.

Moja je.

– Slušaj Lola, ja sam u stvari došla večeras ovde da ti zahvalim.

Verovatno je pomislila da se šalim i da ću joj udariti šamar. Verovatno bi ga i primila bez reči pred svima, jer sam Jevremu platila da budem s njom.

– Dok sam ja putovala po svetu i gradila karijeru, moj muž je bio veoma usamljen... Žestoko mi je prigovarao, a ja nisam znala kako da ga zadovoljim. Nisam bila spremna da se odreknem svojih snova. Često sam pomišljala da je s nama gotovo... Ti si spasila moj brak i moju porodicu. Hvala ti, Lola.

Sedela je bez reči, zbunjena.

Bože, koliko je lepa, mislila sam dok sam pokušavala da dokučim njene misli.

– I slušaj me, Lola, ja sam te upravo otkupila od Jevrema. Više ne pripadaš njemu, slobodna si.

– Pripadam li sada vama? – pogledala me je zbunjeno, u neverici.

– Meni možeš pripadati samo kao prijatelj.

Oprostila se na brzinu od Jevrema, obe smo žurile da pobegnemo što pre od njega, sa tog mesta koje je podsećalo na zločin i nepravdu.

Odvezla sam je na autobusku stanicu za Niš, tako je želela.

Nisam je upitala da li je moj muž bio jedan od onih što je dolazio kod nje samo zbog razgovora.

Ona me nije pitala kako izgleda moj muž.

Čekale smo zajedno autobus za Niš i pričale o nevažnim stvarima, strepeći da se previše ne zbližimo. Ćaskale smo isprazno i površno, kao da nemamo ništa zajedničkog, kao da ništa ne znamo jedna o drugoj... A znale smo i suviše... Pričale smo kao dve strankinje, o promeni vremena; rekli su na vestima, sutra će opet biti sunčano. Nismo pričale o tome kako smo jedna drugoj promenile vreme... ona moje prošlo... ja njeno buduće.

Kad je stigao autobus, dala sam joj svoj džemper i svilenu maramu, i ćušnula joj u ruku ostatak novca koji sam imala kod sebe. Nije bilo suza, ni obećanja, ni velikih zahvaljivanja.

Tiho smo jedna drugoj rekle doviđenja i poželele sreću...

Čula sam, nedavno, da se udala u Nišu i da se ponovo zove Evdokija.

# POGODBA

Jovane, vidi! Proročica!
– Ma daj, leba ti, kakva proročica!?
– Jovane, moooolim te! Hajde da pitamo hoće li biti dečak ili devojčica.
– Pa idi na ultrazvuk i pitaj lekara.
– Ma ne može mi on još ništa reći, trudna sam tek nedelju dana… – razočarano reče Zorica. Oborila je tužno trepavice: – Jovane, ti mene ne voliš…
– Hajde de, kad si navalila!

Proročica je sedela u šatoru koji je iznutra bio crne boje, a spolja istih boja kao i njen biznis, šaren kao šarena laža.

Ove godine je i kosu obojila u crno, zadebljala obrve, promenila ime iz Šalimar u Mara, za svaki slučaj, da je neko ne prepozna s prošlogodišnjeg vašara.

Sedela je za okruglim stolom, koji je prekrila crnim stolnjakom, uredno je poređala izbledele karte za gatanje. U šatoru su se muvale dve lenje mačke, nije od njih bilo nikakve koristi, ali su obe bile crne, pa ih je donela za dekoraciju.

Mara je u jednoj ruci držala dopola ispijenu flašu rakije, a u drugoj cigaretu koja nije gorela. Ostavila je nedavno pušenje, ali je i dalje, po navici, prinosila ustima nezapaljene cigarete.

Oko stola su gorele sveće, svetlost i dim su nagoveštavali prolaz u svet budućnosti. Na drvenoj polici su stajale staklene flaše ispijene rakije. Neke su bile prazne, a neke ispunjene beličastom mahovinom.

– Duguješ mi još jednu! – rekao je oštro čovek u elegantnom crnom odelu koji je sedeo za stolom, preko puta Mare.

– Daj mi još malo vremena – cenjkala se proročica.

– Nema više vremena, dao sam ti rok!

Tajanstveni gospodin je bio nepokolebljiv.

– Još samo ovu noć, možda neko naiđe – nije prestajala da se pogađa.

– Doći ću u ponoć! – zapečatio je dogovor i napustio njen šator ne okrenuvši se.

Mara otpi dva gutljaja rakije.

*Valjda će neko naići.*


– Jovane, vidi! Piše da se naplaćuje po pitanju – čitala je Zorica sa table koja je stajala ispred šatora. On slegnu ravnodušno ramenima nadajući se da će ona odustati od bacanja para.

– Pa pitaću je dva pitanja! Kad ćemo se venčati i da li je dečko ili curica? – odlučila je čvrsto Zorica.

Iz šatora je izašao Marin elegantni posetilac, sa šeširom na glavi, čiji je obod uljudno dodirnuo rukom u znak pozdrava mladom paru.

– Hajde, požuri! Čekaću te ovde.

– Hajde sa mnom unutra – molila ga je Zorica.

– Ne mogu, ženska glavo. Na tabli ti lepo piše: *JEDAN PO JEDAN.*

Zorica zadignu platnena vrata šatre i zakorači u crni okultni svet proročice Mare.

Mogla bi se zakleti da su se čule orgulje, mada nije mogla da proceni odakle; nije bilo instrumenata, niti se video kasetofon. Vazduh je mirisao na tamjan, a proročica u crnoj haljini na alkohol. Mara joj mahnu rukom, dajući joj znak da sedne za mali okrugli sto.

– Izvoli, devojko.

– Hvala – stidljivo reče Zorica, sedajući.

Mara uze karte u ruke i poče da ih meša. Lice joj je bilo ozbiljno, bez osmeha, bez simpatije… skoro bez ikakvog izraza.

– Seci! – naredila je Zorici.

Zorica bojažljivo prepolovi špil na dva dela.

Mara zgrabi deset karata sa vrha i poređa ih ispred sebe: – Šta si htela da pitaš? –

– Htela sam da pitam kad ću se udati?

Mara prevrnu jednu kartu, pa drugu, pa treću.

– Nećeš još zadugo…

– Kol'ko dugo? – nestrpljiva je Zorica.

Mara prevrnu još dve karte da upotpuni odgovor.

– Još pet godina.

– Pet godina! – začuđeno uzviknu devojka.

*Pa ovo nema smisla… pet godina?*

– Imaš li još pitanja? – trže je Mara iz razmišljanja.

*Pa hajde sad, kad sam već tu, da pitam i to…*

– Hoću li na proleće roditi muško ili žensko dete?

– Seci opet!

Mara uze ostatak špila i okrenu četiri karte.

Na svaku je zavrtela glavom negodujući.

– Ni muško, ni žensko na proleće. Rodićeš dva muška deteta, oba na jesen.

Ustade Zorica razočarana, pokisla kao miš. Izvadila je iz tašnice novac za dva odgovora i spustila ga proročici na sto.

Mara zgrabi novac bez reči i ne brojeći ga, gurnu ga u džep duge crne haljine.

Zorica izađe bez reči iz šatora, nije poželela Mari ni hvala, ni doviđenja.

*Kakva prevara!!!*

– Šta kaže baba gatara? – podsmešljivo upita Jovan koji je čekao ispred šatora.

– Ništa! Ljuta sam sama na sebe što sam ispala ovako glupa! – nervozno reče Zorica.

– Nisi joj valjda platila?

Sad je i on počeo da se nervira.

– Ma, jesam – s kajanjem u glasu reče Zorica.

– Sad ću joj ja pokazati, čekaj me tu!

– Nemoj da praviš probleme, Jovane! – molila ga je, ali se on nije osvrtao u svojoj ljutnji i već je zamakao u šator.

– Prevarantkinjo!!! – povikao je s ulaza.

– Sedi – reče Mara smireno, ne reagujući na njegovo ponašanje.

– Neću da sedim, vrati pare!

– Zašto da vratim pare? – hladnokrvno upita Mara, a njega ta beskrupuloznost još više naljuti.

– Prevarila si moju devojku!

– Znaš ti dobro da je nisam prevarila. Sedi.

I Jovan sede, besan kao ris, za mali okrugli sto, odlučan da satera proročicu u priznanje i vrati nazad proćerdani novac.

– Slušaj, ovako ćemo. Pitaj ti mene tri pitanja, pa ako odgovori nisu tačni vratiću ti novce, a ako jesu, ti ćeš meni platiti – predloži mu Mara i otpi zadnji gutljaj rakije iz flaše.

– Nije ti dosta para, prevarantkinjo?!

– Ne tražim od tebe pare.

– Šta 'oćeš od mene?

– Tvoju dušu – gledala ga je Mara pravo u oči.

– Dobro – pristade Jovan, *to će biti lako, luda je načisto*. – Evo ti prvo pitanje, zašto si rekla mojoj verenici da neće roditi dete na proleće? – osiono upita.

– Zato što nije noseća, to će joj i lekar potvrditi. Kasni joj samo nedelju dana – odgovori samouvereno Mara.

*Eh, proćerdah pitanje bez veze, baš glupo. Moguće je…*

– Kako se ja zovem?

– Zoveš se Jovan Stevković.

*Otkuda bi to znala???*

*Mogla je doduše načuti dok smo razgovarali ispred šatora… ali kako bi znala moje prezime… Mora da je saznala od Zorice… Zorica je naivna.*

Jovan se duboko zamisli, morao je biti dobro siguran u svoje treće pitanje, inače ode novac u nepovrat.

– Zašto si joj rekla da se nećemo venčati?

– Zato Jovane što si ti već oženjen, imaš ženu i dvoje dece u Pančevu! – grubo reče Mara podižući na sto praznu flašu od rakije.

U tom času, poteče iz Jovanovih prsa beličasta mahovina, prozračna i lagana kao dim, pravo kroz uski grlić u Marinu flašu!

Jovan se ne pomera, gleda ispred sebe kao začaran.

Oseća peckanje u grudnom košu, oseća kako ne može da udahne, ne veruje svojim očima – *flaša se puni njegovom dušom!*

Uhvatio bi je, sprečio da ne curi iz njega... samo... ne može ni prst da pomeri!

Kad je ocenila da je i zadnja kap njegove duše prešla u flašu, Mara brzo nataknu čep i odloži flašu na policu, među ostale flaše od rakije ispunjene beličastom mahovinom.

– Hvala, Jovane. Sad možeš da ideš. I drži se podalje od te devojke! – istera ga proročica pokazujući prema izlazu.

Jovan ustade bez reči, bled kao krpa, okrenu se i izađe.

Tačno u ponoć, u Marin šator je ušao elegantni čovek, u crnom odelu, sa crnim šeširom i seo za sto.

– Maro, imaš li sad da platiš?

– Imam, sve su na broju. – Pokazala mu je na policu s flašama ispunjenim beličastom mahovinom.

– Dvesta komada! – dodala je s ponosom.

– Pošteno – reče čovek i stavi na sto crvenu jagodu.

– Pošteno – potvrdi Mara.

Čovek ustade i pucnu prstima.

Iz tmine, niotkuda, stvoriše se njegovi pomoćnici. Obučeni kao i on, elegantni u crnim odelima, odnesoše flaše ispunjene beličastom mahovinom i zamakoše u noć…

Čim je ostala sama, Mara zgrabi jagodu i halapljivo je proguta. Najednom joj se povrati crvenilo u blede obraze, a na istrošenom licu zatitra osmeh.

Sedela je sretna i vesela za okruglim stolom, imala je razloga za slavlje. Vredno je radila godinama za grešku koju je napravila u mladosti, kada nije verovala da *Đavo uvek dođe po svoje…*

# INVAZIJA
# IZ SVEMIRA

Ljudi moji, šta je ono gore, ne liči na avion? – vikao je Slavko pokazujući prema mladom mesecu.

– Daj, bre, ne ometaj! – pobuni se čovek koji je stajao pored njega i posmatrao Zid smrti, najveću vašarsku atrakciju. Komentator, Rade Crnogorac, je pompezno deklamovao u mikrofon: „Nikad Srbin kukavica nije, smrt ga gleda, on se na nju smije!"

Zid smrti je džinovska bačva, teška preko stotinu tona, po čijoj unutrašnjosti dvojica mladića voze motore neverovatnom brzinom. Nema tu nikakvih trikova, motoristi su čas dole, čas gore, okrenuti glavom  naopačke, za malo para izvode igru života i smrti.

Posmatrači stoje zadivljeni u tišini, dive se ljudskoj sposobnosti da prkosi zakonima gravitacije.

– Ma ljudi, pogledajte ono gore! – opet Slavko remeti napetost predstave.

– Ma, koje gore?! – ljutito uzviknu čovek pored njega, nevoljan da skine pogled sa motorista.

Slavko mu pokaza rukom prema nebu gde se video džinovski disk! Nije se pomerao, oscilirao je u mestu, tridesetak metara iznad velikog vašarskog točka i isijavao crvena i plava svetla.

– Ljudi, pogledajte! Leteći tanjir!!!! – prodra se čovek pored Slavka koliko ga grlo nosi.

Svi podigoše glavu i pogledi im ostadoše prikovani za nepoznati predmet. I Rade Crnogorac je primetio da je ljudska pažnja odlutala u vanzemaljskom pravcu.

– Šta je ONO, mili bože? – čudi se žena dok ju je obuzimala nelagoda još veća od one koju je osećala dok je gledala motoriste na Zidu smrti.

– Šta je, šta će biti nego leteći tanjir! – odgovorio je Slavko samouvereno, kao da je mnoge već video.

– Možda je američki špijun?

– Što bi nas Amerikanci špijunirali kad znaju šta nam članovi vlade jedu za doručak?!

– E, vala si u pravu, k'o da bi ovakvu tehnologiju na nas trošili!

Lazar se pribio uz dedu, fasciniran je, ali i preplašen.

– Deda, šta je ono?

– Ne znam dete moje, nikada nisam video ovako nešto – potapša ga deda po ručici. – Nemoj da se bojiš.

– A šta ako nas napadnu?

– Ma neće nas napasti, Lazo, da su to hteli, već bi to i uradili.

Krupni čovek dugačkih brkova preuze reč:

– Slušajte ljudi, pre dva dana sam našao veliki krug u njivi, baš kao da je ovaj disk ležao u mom žitu!

– Ma šta kažeš, Radiša? – poznade ga neko iz gomile.

– Možda vam se Isus vraća! – dobacuje mladić.

– Marš, pederu!

Čudnovati disk se nije pomerao s mesta.

Isijavao je lopte crvenog, plavog i belog svetla, koje su kružile oko njega neverovatnom brzinom, brže od onih motora na Zidu smrti.

Uskoro je ceo Mihajlovac gledao u nebo.

Pevačice nisu pevale, mašine se nisu vrtele. Rakija se nije točila, prasići se nisu okretali na ražnjevima. Lopovi nisu krali novčanike, deca nisu plakala i nisu tražila sok.

Mladići nisu milovali devojke, a žene nisu gunđale muževima. Sve je stalo.

Vašar je pogasio muziku i svetla, da u tišini oslušne poruku iz svemira.

Gledajući u nebo, onako kolektivno, ljudi su najednom postali svesni svoje malenkosti. Mogli su osetiti kako im svima srce kuca istim ritmom, tako zbijeni jedni pored drugih, ujedinjeni pred zagonetkom. Seljaci i intelektualci, religiozni i ateisti, demokrate i radikali, rokeri i narodnjaci, žene i muškarci.

Svi su najednom srasli u veliku ćeliju živog organizma u odbrani protiv virusa, onog gore, koji ih je nadmoćno posmatrao.

Da ga je mogla videti cela planeta, sve bi nacije sveta stale ujedinjene, bez obzira na boju kože i besmislene ratove koje su vodile između sebe.

– Ljudi moji, kakva li su bića unutar ovog čuda? – prekide Slavko tišinu.

– Mali i ćelavi, s velikim očima!?

– Šta mislite, da se spuste ovde i da nam svima daju odgovor na po jedno pitanje?

– Ja bih pitao ima li Boga?

– Odakle dolaze?

– Ima li života posle smrti?

– Ja bih pitala da li su nas oni stvorili nekim gene-tičkim eksperimentom?

– Može li se putovati kroz vreme?

– Ja bih pitao za rezultate sportske prognoze!

– Deda, šta bi ih ti pitao? – znatiželjno će Lazar.

– Pitao bi ih za lek protiv raka – tiho reče deda prisećajući se pokojne žene, Lazarove bake, koja je umrla od te bolesti. – A ti? – upita ga deda brzople-to.

– Ma znaš, deda, šta bih ih ja pitao – mahnu dete rukom na kojoj mu je bio svezan crveni balon.

– Ljudi gledajte!!! – upozorava Slavko.

Svetla oko letećeg tanjira usporiše svoje okreta-nje, pa se rasporediše u tri reda. Na vrhu se poređaše crvena, u sredinu plava, a na dnu, bela svetla.

– Još fali grb, pa kô zastava Srbije!

– Znao sam da su Srbi, možda je ovo neki Teslin izum, pa nam došla u posetu braća iz budućnosti!

– E baš bih voleo da ih pitam kolika će biti Srbi-ja?

– Kolika će biti, eno onolika, staćemo svi u jedan vasionski brod!

U tom se na nebeskom disku pojaviše znakovi.

Prepoznatljivi!

Čitljivi!

Slovo, po slovo je izbijalo iz mraka, svetlelo kao džinovski svitac.

– Ljudi moji ono je baš kao slovo M!

– Jes' bogami, eno ga … E!

– Možda će nam napisati MENJAJTE SE!

– Ćuti bre, izlazi još jedno slovo!

– T! – čitaju svi u jedan glas.

– A!

– L! – odjekuje na sve strane.

– Znao sam da su neki metali u pitanju, možda im trebaju delovi da oprave letelicu?

– ĆUTI BRE!!!

Na nebu se pojavljuje O.

– P! – čitaju i deca s odraslima.

– L!

– A!

– S!

– T!

– I!

Neki su već sumnjičavi.

– K!

– A!

– METALOPLASTIKA!!! – odzvanja Mihajlovac.

– Pa vidite li ljudi da ceo svemir navija za naš rukometni klub!? – oduševljen je Slavko.

Za nekoliko minuta cela stvar je nestala, džinovski disk sa slovima ugasio se kao slika televizora. Ljudi su još uvek u neverici zurili u nebo.

*Pa ovo nije bio leteći tanjir nego hologram reklama,* čulo se. Mnogi su bili razočarani.

Vašar je ponovo oživeo.

Rakija je potekla, a mašine isturile svoje krake. Žene su nastavile da prigovaraju muževima, radikali da se raspravljaju sa demokratama, rokeri da se pod-smehuju narodnjacima.

Sve je opet bilo po starom.

Život koji se privremeno zaustavio u iščekivanju, nastavio se užurbanim tokom, daleko od svega što je ikada i moglo podsetiti Srbe da su jednom, makar i obmanuti, stajali na Mihajlovcu ujedinjeni pred celim svemirom.

# RIBARSKE PRIČE

Šta mislite, koji je sport najopasniji na svetu? – upitao je Đole, vidno pripit i zaplićući jezikom, sredovečne prijatelje. Ko zna koliko su već piva i pelinkovca ispili, sedeli su pod šatorom od tri popodne, a već je prošla ponoć.

Čedo koji je nožićem gulio meso s telećih rebara promrmlja punim ustima: Mačevanje!

– Ma kakvo mačevanje čoveče, najopasnije je ono kad skaču na glavu s platforme, s konopcem oko noge – ubeđen je Mladen.

– Rvanje je najopasnije! – javlja se Neđo.

– Bogami si ti, Neđo, dobro popio, već ti se oči rvu jedno s drugim – podbada ga Mladen.

– Ne seri! – buni se Neđo.

– Mala, daj još porciju telećeg! – naručuje Čedo.

– Najopasniji sport na svetu je pecanje – svečano će Đole.

– Ha, ha! Đole, gori si od Neđe! – smeje mu se glasno Mladen.

– Što se smeješ tako cinički, možda je mislio na lov na ajkule? – branio je Neđo Đoleta.

– Jeste li vi ikada čuli za amazonsku ribicu kandiru? – pita ih Đole.

– Jok! – Odmahuju glavom sva trojica.

– E pa, vidite, to je veoma opasna ribica koja se čoveku zavuče u onu stvar. Kad ribar zagazi u reku, ona mu se uvuče duboko pod kožicu penisa, jer voli miris amonijaka. Tu se lepo zabaškari, sisa krv i uživa, a čoveku oči ispadaju iz glave od bolova... dok dođeš do lekara nije ti više do života burazeru – objašnjava im strpljivo Đole.

– Auu! – stresaju se od jeze.

– A na Karibima je ribaru skočila u oko belonida, ribica dugačka i šiljata kao igla. Htela je da se oslobodi, pa se batrgala i pocepala mu sve optičke nerve u oku.

– I, je li izgubio vid na to oko? – interesuje se Neđo.

Đole potvrdno klima glavom i nastavlja priču:

– U Crnoj Gori su prošle godine dva čoveka umalo platila glavom pošto su pojeli ribe koje su upecali. Počeli su da haluciniraju, jedva su lekari u kotorskoj bolnici otkrili uzrok problema. Te ribe koje su pojeli, hranile su se nekim otrovnim algama u moru koje imaju isti efekt na ljude kao psihodelične droge.

– Čuo sam za te ribe. Zovu ih *ribe snova*. Stari Rimljani su ih namerno lovili da bi se drogirali njihovim mesom – potvrđuje Mladen.

– A jeste li čuli da ima ajkula u crnogorskom moru, ne smeju da kažu ljudima, boje se da ne upropaste turizam? – dodaje Čedo dok od konobarice prihvata tanjir sa pečenjem.

– Čuo sam. Prošlog su leta dva ribara nestala, negde dole kod Bijele. Izašli su po noći da bace mrežu, i nisu su se više vratili. Nikada ih nisu pronašli.

Meštani tvrde da je more izbacilo na plažu nogu jednoga od ribara kod odmarališta *Esmeralda* – kaže Mladen.

– Ne idem više na more – zaključuje Neđo.

– 'Ajde, Neđo, popij jedno pivce za živce – podbada ga Mladen.

– A jeste li čuli za nesretnog ribolovca, turistu, na Tajlandu, što je ulovio vrstu otrovne ribe koja se naduva u odbrani. Nije znao šta je ulovio, pojeo je i otrovao se na licu mesta – priča im Đole.

– Ko ga jebe, nije mi ga žao. Svi ti što idu na Tajland, po danu love ribu, a po noći maloletnu decu! – ko iz topa će Neđo.

Svi se nasmejaše.

– Znate li za ribolovca iz Kalifornije kojega je ubila preparirana sabljarka? – nastavlja Đole.

– Ma daj, ne preteruj! – smeje se Čedo punim ustima.

– Ma kad vam kažem, čovek ulovio sabljarku i stavio je kao trofej na zid, al' jednog dana dok se svađao sa ženom, ona zgrabila za sabljarku i izudarala ga njome. Nanela mu smrtne probode!

– Jebo ga ti Đole, nije ga ubila sabljarka, nego žena! – smeje se Mladen i dodaje kao za sebe: Ubiće i mene ona moja…

– A znate li za reku Kali u Indiji, u kojoj misteriozno nestaju ljudi? To je ogromna reka, zagađena i mutna; u nju Indusi bacaju svakojaki otpad, između ostalog i tela preminulih. Sumnjali su dugo da se jedna vrste ajkule adaptirala na slatku vodu, jer nije bilo drugog objašnjenja za takvu vrstu napada u kojoj te jake čeljusti zgrabe i odvuku u dubinu. Tek su odnedavno otkrili da ljude napada riba, zovu je rečna mačka, koja je od davnina miroljubivo živela u toj reci. Vremenom je počela da se hrani telima mrtvih i toliko mutirala da sad napada i žive ljude – nastavlja Đole da nabraja nevolje ribarenja.

Sedeli su do tri sata ujutro, smejali se i nadmudrivali, zaplitali jezikom i pogledima. Prepričavali su svoje ribarske poduhvate, raspravljajući i izazivajući jedan drugog kako preteruje s veličinom svog ulova.

– Imam ideju! – uzviknu Đole. – Aj'mo sad dole na Savu, pa da vidimo ko će uhvatiti najveću ribu!

– U ova doba? – snebiva se Neđo.

– Sad ili nikad! – priključuje se viteški Mladen.

– Stanite malo, odakle nam štapovi za pecanje? – prekide ih Čedo.

– Imam u autu silka i malih udica, a štapove ćemo ubrati kod reke – predloži Đole.

– Pa 'ajde onda...

Ustadoše se i zgrabiše ostatke hleba sa stola da imaju za mamac...

Kako je samo lepa Sava.

Površina vode svetlucala je kao mrestilište nebeskih zvezda. Tekla je mirno i spokojno još od kraja poslednjeg ledenog doba.

Rodila se negde u Sloveniji, odrasla u Hrvatskoj, a u Bosni stasala u lepoticu... Kada su bogovi čuli za njenu lepotu, odlučiše da je udaju za snažnog Dunava, u srcu Srbije.

Pripiti ribolovci su teturavim korakom sišli do obale i ubrali pruteve sa uspavanog drveća. Zavezali su silk i udice s grudvicama hleba, i prišli bliže reci da odmere ribarsko umeće.

Zabacili su udice i stajali tako u tišini obasjani mesečinom...

Noćnu tišinu poremetila je muzika, smirujuća i blažena, kao da nije od ovog sveta. Kao da su se izmešali zvuci vodenih talasa, pene i harfe. Pevali su zajedno u horu svici, šumske vile i anđeli. Prijatelji su se pogledali s čuđenjem, ali niko nije izustio ni reči. I samo jedna reč oskvrnavila bi tu vilinsku muziku.

Po površini vode stvarala se plavičasta magla, postajala je sve gušća dok se lenjo previjala s obale na obalu. Štapovi za pecanje su postepeno iščezavali u nadolazećoj magli, svako je mogao da vidi samo još svoju ispruženu ruku.

Muzika je postajala sve glasnija, a iz daljine se čulo lako pljuskanje vode. Ukazao se splav ali se nije moglo jasno razaznati da li plovi po površini, ili lebdi iznad vode kroz maglu. Na splavu su se nazirali obrisi ljudskih figura koji su svetlucali beličastim sjajem, među njima i deca.

Kako se splav približavao, i muzika postajala glasnija, mogle su se razaznati reči pesme koju je donosila zamagljena reka:

*... putujem ti iz daleka,*
*nosim svetlo drugog sveta*
*... dođi k meni na moj splav,*
*spasiće te zaborav...*

Kao omađijani, četvorica prijatelja ispustiše iz ruku štapove za pecanje i zagaziše u reku.

Splav je prišao skoro do obale i zaustavio se ispred njih. Gledali su nepomični u tajanstvene beličaste putnike koji su se radoznalo naginjali prema njima.

Devojka duge kose dade im znak rukom da se popnu. Bila je lepa i mlada, obavijena svilenim haljinama, kao da je satkana od mesečine, a ne od krvi i mesa. Mladen je krenuo da se popne kod nje na splav, ali ga je Neđo ščepao za rukav i povukao nazad.

Dečak i devojčica, možda brat i sestra, priđoše im bliže smejući se zvonkim glasom. Bili su obučeni u lanene košuljice s vezenim prslucima, nosili su opanke na nogama. Devojčica zamahnu graciozno pletenicama pozivajući ih na splav. Čedo je zakoračio, ali mu Neđo prepreči put do splava.

Tada im priđe starica blagog lica, nosila je maramu sa cvetovima na glavi. U ruci je držala korpu od pruća punu mirišljavih jabuka. Izvadila je jednu iz korpe i ponudila je Đoletu. Pružio je ruku da dohvati jabuku, ali ga Neđo uhvati za ramena i zaustavi.

– Ko ste vi dobri ljudi? – konačno se okuražio Neđo da naruši spokoj tišine.

Putnici splava se nagnuše prema njima.

Magla se spuštala i prijatelji su mogli jasno da vide da mnogima od njih nedostaje neki deo tela.

– Mi smo deca prošlosti – progovoriše onaj dečak i devojčica složno zvonkim glasom. Na njihovim licima su zjapile prazne očne duplje.

– Mi smo deca rata – reče lepotica držeći se za nož koji joj je stajao zaboden u nedrima.

– Mi smo deca užasa – promrmlja baka kojoj je ispod pregače zjapio rasparan stomak.

– Mi smo deca Save – promuklo reče čovek u uniformi kome je nedostajala četvrtina glave i dade rukom znak splavaru da vozi dalje.

Za splavom se opet podiže plavičasta magla.

Štitila je i skrivala putnike iz mnogih ratova, sve one nesrećnike čija su tela završila u reci. Postali su beličasti i svetlucavi, jer im je krv otekla u Savu. Krstarili su kroz vreme nevidljivi i zaboravljeni, pevajući svoju pesmu bez straha da im se nešto tako strašno može opet dogoditi.

Sava je u prošlosti često tekla crvena, obojena životom nedužnih...

Prijatelji ribolovci izađoše iz vode na obalu. Zgledali su se u neverici, manje im je čudno sve ono što su videli i doživeli od toga kako je Neđo bio toliko priseban da ih spreči da se popnu na splav!

Grlili su ga naizmenično, tapšali pokroviteljski po plećima. Bilo im je jasno da je vožnja splavom vodila u neki drugi svet, u svet u koji se njima nije žurelo.

– Je li, Neđo, kako si znao da ne smemo s njima? – upita ga Mladen.

Neđo, vidno potresen, uzdahnu duboko i sede na travu. Gledao je negde u daljinu, dok nije smogao snage da im odgovori.

– Moj je otac rodom iz Slavonije.

Četrdeset prve su im upale ustaše u selo sa komandom da pobiju narod bez opaljenog metka. Ubijali su ih pijucima, maljevima i noževima, palili kuće zajedno s ljudima. Mog su dedu obesili, a baku, zajedno sa drugim mladim ženama, poslali u Nemačku, u logor.

S kućom su im zapalili dve žive devojčice, moje tetke; jedna je imala pet, a druga tri godine. Sinove, mog oca koji je imao deset godina i strica koji je imao dvanaest, deportovali su u dečji logor u Sisku... Čega se tamo sve nisu nagledali, kakvih užasa i strahota...

Odatle ih je spasao neki musliman, kočijaš iz Bosanske Dubice. Njegov je posao bio da iz logora pokupi mrtva tela, a on bi uvek prokrijumčario i po neko živo dete. Tako je i moga oca i strica sakrio među mrtvace, pokrio ih prnjama i provukao pored straže na svojim špediterskim kolima. Ko zna koliko je dece tako spasao...

Dečake su posle razdvojili, u ratnoj nemaštini nije bilo lako naći novi dom za njih. Stric je ostao kod nekih daljih rođaka u Slavoniji, gde je i posle rata živeo, a moj otac je doveden u Srbiju.

Stric je, eto, pobegao sudbini jednom, ali mu ona nije oprostila. Sa novim ratom, devedeset prve, zaklaše ga i baciše mu telo u Savu. Poznao sam ga među onim putnicima na splavu, on je bio onaj visoki, mršavi, što je stajao iza devojke. Stric mi je dao znak da se ne penjemo na splav.

Svanulo je hladno jutro i zateklo četvoricu prijatelja na obali. Ćutali su.

Drveće se probudilo, a reka potekla žustro, kao da se i ona dobro naspavala. Talasi su promenili tok i izbrisali put kojim je otišao splav.

Po površini vode oslikavalo se nebo, nevino i čisto.

Tekla je Sava, lepa i plava...

# U OKU OGLEDALA

Za Mirka su govorili da je izrazito lep momak, ali se on mnogo više ponosio svojom snagom. Voleo je da istakne kako je glavni u svom društvu, mada je bilo nejasno u kakvoj delatnosti bi koristio takvu ulogu.

Doterala se njegova družina za vašar, stavili su na glave šajkače sa sjajnim kokardama i obukli majice kratkih rukava da im se vide tetovaže na rukama: na Živkovoj su iscrtana četiri ocila, na Nemanjinoj dvoglavi beli orao, na Petrovoj car Lazar i godina 1389, na Borislavu mrtvačka glava i Srbija, a na Mirkovoj ruci istetoviran je kalašnjikov sa rečima *Ne može nam niko ništa.*

Šetali su, od tezge do tezge, kao otvorena srpska slikovnica i tražili izazov dostojan njihove snage.

Odlučiše da se provozaju na autodromu, pa prođoše pored kolone ljudi koji su čekali na red i stadoše prvi.

Ljudi su ih diskretno posmatrali. Osećali su potrebu da prigovore mladićima, ali su ipak ćutali i pretvarali se da ih to ne vređa.

Posle autodroma, Mirko povede drugove na tezgu s rakijama, podeliše jednu flašu kao da je sok od jabuke. Prodavac ih je bodrio s divljenjem:

– Tako sokolovi, svaka čast!

– Ej, eno ga gusarski brod, hoćemo li? – upita Mirko družinu.

Ma, naravno da hoće.

Sve hoće… i to preko reda…

Samo što su se ugurali pred kućicu u kojoj su se prodavale karte, Mirko oseti kako ga nešto lupka u bubrege.

Okrenuo se ali ne vide nikoga.

Nije prošao ni sekund, opet ga je nešto lupkalo.

Okrenuo se i ugledao dečaka s knjigom i crvenim balonom u ruci. Mogao je imati devet-deset godina.

– Izvinite čiko, ali ja sam ovde bio prvi u redu, a vi ste stali ispred mene – ljubazno će Lazar.

– E, pa sad je čiko prvi! – drsko odbrusi Mirko i okrenu leđa detetu.

– Ali, čiko, to nije lepo!

Mirko se okrenu prema Lazaru i puknu mu čvrgu posred glave.

– Jao!

– Marš mali! Beži odavde dok ti nisam opalio još jednu! – dreknu se Mirko i cigaretom mu probuši crveni balon.

Dečak se prepade, stavi svoju knjigu pod mišku i pobeže.

Dve devojke, potpuno isto obučene, koje su stajale iza deteta, posmatrale su događaj u neverici.

Prigovorile bi, ali prošle godine je njihova drugarica dobila šamar od ove junačke družine, baš od ovog momka koji je dečaku probušio balon...

Mirko se s drugovima ukrcao na gusarski brod, mašina ih naglo podiže uvis. Ljuljali su se unapred, i unazad, napred-nazad... Živku se stomak uznemirio od brodskog ljuljanja, pa se ispovraćao po sebi i čoveku koji je sedeo na brodu ispred njega. Čovek je gunđao sebi u bradu, ali nije naglas prigovarao. Mladići su mu se smejali, jer su mu se na leđima videli ostaci krompir čorbe koju je Živko pojeo tog dana za ručak.

Kad su završili vožnju brodom, pomalo već umorni, uputiše se u Kuću s ogledalima.

– Dečki, jedan po jedan, molim vas! Hodnici su veoma uski, nemojte se gurati i dugo zadržavati pred zrcalima! Mislite na one iza vas, i oni treba da dođu na red! – ljubazno ih zamoli čovek koji im je prodao karte.

Uđoše u koloni, jedan po jedan, da se ogledaju pred neobičnim ogledalima koja će im promeniti oblik i veličinu tela.

Mirko je zastao prvi, ali... u ogledalu nema njegovog odraza!

*Mora da sam pijan k'o ćuskija.*

Otvorio je oči širom, ali nije video ništa osim ogledala.

Nema njegovog lika!

Mogao bi se zakleti da je čuo kako u ogledalu neko plače.

Gurkaju ga drugovi s leđa, hoće i oni da se pogledaju, pa Mirko prođe do sledećeg. Očekivao je da se ugleda mršavog kao suva grana, ili velikog kao slona... ali opet prazno ogledalo!

Njega nema, pa nema!

*Možda je ovo neki trik, sigurno su ogledala namazana nečim, pa ne daju nikakvog odraza.*

Okrenuo se prema Petru koji je bio iza njega, ugleda ga kako se grohotom smeje svome odrazu u onom prvom ogledalu.

*Pa Petar sebe vidi?!*

*E, Bože, jesam li poblesavio od rakije ili mi se mozak protresao na onom gusarskom brodu, sve mi u glavi neki glasovi...*

Prošao je do sledećeg ogledala...

A tamo, opet ništa!

Prošao je Mirko i peto, i šesto ogledalo, i ni u jednom nije video svoj lik, ni normalan, ni iskrivljen.

Svaki put kad bi se okrenuo drugovima, video bi ih kako se tresu od smeha.

Razočaran, nije više ni obraćao pažnju.

Zastao bi ispred svakog ogledala, zadržao se dve-tri sekunde, kobajagi nasmejao sebi, da neko nešto ne primeti.

Ništa nije video, samo je čuo tužne glasove.

*Nešto stvarno nije u redu.*

Jedva je dočekao da izađu napolje.

Seli su ispred Kuće s ogledalima da puše.

– Jebote, jesi video ono kad ti se trbuh naduva...

– A ono kad ti se samo glava poveća...

– Uopšte nisam video svoj odraz u nekoliko ogledala – požali se Petar.

– Ni ja, u dva. Mora da su pokvarena – dobaci Živko.

– Ni ja se nisam video u nekoliko ogledala – priključi se Nemanja.

– Sigurno su pokvarena, ja se nisam video u tri, četiri. A ti Mirko?

– U dva – slaga Mirko. Kako bi sada i mogao da prizna da se nije video ni u jednom, nakon što se pretvarao pred njima da su mu sopstveni odrazi smešni.

– …ono je super kad ti noge dođu do vrata – komentarišu još uzbuđeno drugovi, a on se samo smeška i potvrđuje.

Skriven iza obližnjeg drveta, vrebao je Mirka desetogodišnji osvetnik, onaj što je dobio čvrgu od njega. Čvrgu bi mu i oprostio, ali za balon nema opraštanja!

Kako će ga sada mama pronaći u tolikoj gužvi?

Lazar je pogledao na klupu na kojoj je sedeo deda i čekao ga, jer nije išao na vožnje zbog visokog pritiska. Nije hteo da se žali dedi, deda bi se sigurno mnogo nasekirao, a ne bi mogao ništa da promeni.

Odlučio je da preuzme stvar u svoje ruke.

Teška srca je iscepao jednu stranicu iz knjige koju mu je deda kupio tog jutra na vašaru. Ne bi to inače nikada učinio, ali pred njim je bio vrlo važan zadatak. U taj papir je zamotao kamen, dovoljno veliki da nanese bol, a dovoljno mali da ne razbije glavu.

Zamahnuo je snažno rukom i poslao svoj paketić pravo na Mirkovu glavu!

– Jao! Jebote! – uzviknu Mirko. Okrenuo se, ali nigde nikoga.

Pogleda na zemlju i spazi papirnatu grudvu.

Dohvatio je, i stavio brzo u džep dok je drugi nisu primetili.

– Šta ti je to? – upita ga Petar.

– Ma ništa –odgovorio je mirno. Nije želeo da pokaže pred njima da je dobio po glavi.

– Pa, kuda ćemo sad?

– Idemo pored reke da gledamo vatromet!

– Važi! – složiše se svi uglas.

– Ej, 'ajte vi, doći ću ja za vama … samo da pitam nešto ovog što radi sa zrcalima – reče im Mirko.

– Hoćeš da mu kažeš za ona što ne rade?

– Hoćeš da mu tražiš nazad novac? – nasmeja se Nemanja.

– Nećeš valjda da ga maltretiraš? – dobaci Borislav.

– Ma nemoj bre, ostavi čoveka na miru – odgovara ga Petar.

– Ma idite kad vam kažem, eto me za pet minuta! – odbrusi Mirko.

Niko nije voleo da se raspravlja s njim, pa poslušaše bez pogovora.

Kad su zamakli, Mirko je prišao čoveku koji je radio u Kući ogledala.

– A je li, zašto ti kažeš zrcala, da nisi Hrvat?

– Nisam, al' živio sam tamo prije rata.

– Da nisi imao nekih problema sa ovim ogledalima?

– Misliš na transport, da se razbiju? Ne, nikada.

– A koliko su stara?

– Tko to zna, najmanje oko šest stotina godina – ozbiljno će čovek.

– Zezaš me?

– Ne. Pripadala su nekom hrvatskom banu, Karloviću, koji ih je držao u svom zamku u Podravini. Kako ih je on nabavio to nitko točno ne zna, ali legenda kaže da ih je prije njega posjedovao neki bogataš iz Istambula. Nudio mu je ban Karlović godinama dobru cijenu za zrcala, ali Turčin nije htio pregovarati. Onda mu je ovaj počeo oštro prijetiti, no Turčin se nije dao zaplašiti. Jedne noći su mu upali maskirani vojnici u palaču, zapalili odaje u kojima su živjeli sluge i evnusi, ubili Turčina i cijelu porodicu, i pokrali sva zrcala.

– Ne razumem, zašto mu ih Turčin nije prodao, kad je već video da je ban toliko očajan da ih ima, pa posle nabavio sebi druga ogledala?

– Zato što takvih nema do jednih na cijelome svijetu. To su zrcala duše, a ne zrcala izgleda. Nitko ne zna odakle potiču, ni tko ih je i kako napravio... Možda su nam od samoga Boga data... Ako nisi lijep iznutra, nećeš ni vidjeti svoj lik u njima, samo ćeš čuti glasove onih koje si u životu povrijedio.

– A ako si lep?

– Ako si lijep, onda vidiš svoj lik u raznim oblicima. Svako zrcalo predstavlja po jednu duševnu osobinu, kao što su nesebičnost, hrabrost, poštenje, iskrenost i tako to. Legenda kaže da kad pred njih stane čovjek koji će imati odraz u svakom od njih, ona će se raspuknuti u tisuću komada. Eto vidiš, stoje već stotinama godina, takav se još nije našao da zastane pred njima.

– Neverovatno!

– Ma, ja se ne žalim, sve dok su ljudi kvarni ja ću biti u biznisu – nasmeja se čovek.

Mirko se zaputi prema Savi.

Seo je na obalu neraspoložen, nije ni tražio drugove. Mučilo ga je saznanje da nije lep iznutra.

Vatromet je počeo, sevale su plava i crvena, boje ponosa i čojstva. Zavukao je ruku u džep da izvadi cigarete, kad tamo, onaj tvrdi paketić što ga je udario u glavu. Razmota ga, i vide da je papir u kojem je kamen bio umotan, istrgnut iz neke knjige. Iako je list papira bio zgužvan, Mirko je mogao jasno pročitati stihove pesnika kojeg je davno nekad učio u školi:

*Domovina se brani lepotom*
*I čašću i znanjem*
*Domovina se brani životom*
*I lepim vaspitanjem…*

*Lj. Ršumović*

# VELIKI TOČAK

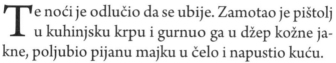

Te noći je odlučio da se ubije. Zamotao je pištolj u kuhinjsku krpu i gurnuo ga u džep kožne jakne, poljubio pijanu majku u čelo i napustio kuću.

*Zbogom čemeru*, oprostio se.

Svetla Šapca su već uveliko gorela u prohladnoj septembarskoj noći.

*Mala Gospojina, baš lep dan za umreti*, razmišljao je dok je grabio korakom prema Savi.

Želeo je svojom smrću povrediti sve koje je poznavao, a naročito samoga Boga na ovu svetkovinu. Ipak, negde duboko u njemu drhtao je od straha osećaj da možda nikoga i neće biti briga…

Poželeo je da svrati na Vašar, *poslednji put*.

Sećao se kako ga je pokojni otac vodio istom ovom prečicom kad je bio dete. Stavio bi ga da mu sedi visoko na ramenima, pridržavao rukama da ne padne i pevao mu *Hoćemo li u Šabac na vašar*.

*Još koji sat tata, pa ćemo opet pevati zajedno.*

S Mihajlovca se čula muzika, tukle su se iz kafana pesme turbo-folka. Svako je svirao svoju, a sve su zvučale isto.

Vašarski grad je svetleo kao sunce u sred noći, obasjan nadmetanjem velikih mašina okićenih lampicama i ženskih haljina okićenih šljokicama. Iz godine u godinu, vašar postaje sve veći, tezge se nižu unedogled... neki prodaju na komad, neki na litar, a neki na sopstvenu savest...

Blato koje je napravila kiša prethodne noći još se nije osušilo, gazio je po plitkim i dubokim lokvama, ne mareći da li će uprljati nogavice.

Pogledao je unaokolo.

Nema šta nema.

Zinule gladne mehaničke zveri, a ljudi još plaćaju da budu progutani.

Ringišpil.

Autodrom.

Balerina.

Zid smrti.

Kuća strave i užasa.

Gusarski brod.

Veliki točak.

*Točak. To je to.*

*Samo jedna vožnja,* odlučio je.

Stao je na kraj vijugavog reda koji je vodio do kućice u kojoj su se prodavali žetoni.

Ispred njega su stajale dve devojke u kratkim suknjama. Nosile su iste bluze, imale istu frizuru, čak su im i usne bile nakarminisane istom bojom.

Obema su im štikle cipela utonule u mekanu zemlju.

Došaptavale su se naizmenično, a jedna od njih je proveravala neki crtež i stalno se kikotala. Baš ga je nervirala. Mogao je naslutiti da je nešto na njegov račun.

– Hoćeš li s nama na točak? – okuražila se devojka koja se stalno smejala da ga upita.

– Ne – odgovorio je škrto, ignorišući ih.

Devojke se okrenuše postiđeno i zaćutaše.

U levoj ruci je držao novac za žeton, desnom je stiskao pištolj u džepu. Već ga je hvatalo nestrpljenje da opali.

*Možda da izađe iz reda i ubije se dole pored reke?*

Pogledao je preko devojačkih glava, red ispred njega je postajao sve kraći,

*Jedan, dva, devojke, pa ja,* odlučio je ipak da sačeka.

– Koliko ćeš vožnji mladiću? – pitala ga je punačka žena koja se videla samo do pola kroz otvor na montažnoj kućici.

– Jednu.

– Ma uzmi dve, da ne čekaš opet u redu, dopašće ti se vožnja sigurno! – pokušavala je da ga ubedi dok je žvakala komad mesa koji je odlomila s jagnjeće glavuše.

– Jednu, rekao sam.

Žena bez reči uze novac i pruži mu žeton.

Prošao je do metalne ogradice i ubacio žeton u prorez, ona se otvorila i oslobodila mu put do velikog točka. Tamo je radio mršavi dečko; čim bi ljudi popunili dvosed korpe, on bi pritisnuo dugme da je podigne u vis, a sledeća bi se spustila na nivo terena za ukrcavanje.

Sijamske drugarice su se ukrcale u crvenu korpu, a njega je zapala plava, zajedno s nekim dedom.

*Odakle se ovaj čiča stvorio,* pomislio je nezadovoljno.

Starac je ćutao i gledao ispred sebe.

Bio je obučen u snežnobelu košulju i tamno odelo, sa kravatom boje maline.

Plava korpa u kojoj su sedeli propinjala se sve bliže nebu i konačno, kada su se sve korpe popunile putnicima, točak je počeo da se vrti!

Ljudi su treperili od uzbuđenja, kao zvezde!

*Sedam krugova,* znao je unapred.

Dok je čekao u redu da kupi žeton, izbrojao je da se u jednoj vožnji točak okrene sedam puta.

*Sedam puta, kao sedam dana.*

*Za mene dosta. I ova mi je nedelja bila preduga, jedva sam je preživeo.*

Desnu ruku nije vadio iz džepa, bojao se da ga nešto ne protrese, da ne izgubi pištolj.

Imao je samo jedan metak.

Opaliće ga tačno u mladež po sredini čela, *sudbina mu je odredila tu metu.*

Obišli su prvi krug.

Gledao je u Šabac s visine i pomislio kako nikad nije leteo avionom.

Obišli su drugi krug.

Razmišljao je kako čiča pored njega miriše na seno. *Mora da je zemljoradnik, pa navukao odelo i kravatu za vašar.*

Treći krug.

Sećao se kako ga je otac vodio na Savu da ga uči da pliva. Svezao bi mu kaiš oko struka i održavao ga na vodi, a on bi mahao rukama i nogama.

I četvrti.

*Ko li će sve doći na moju sahranu?*

*Hoće li se tetka protegnuti iz Nemačke, ili će samo poslati telegram?*

*Hoće li se pobrinuti za majku?*

Peti krug.

Setio se kad je pre deset godina došla milicija po oca. Nije ni stigao do stanice, ubili su ga, ni kriva, ni dužna, od batina. Majka je tada počela da pije...

Obiđoše šesti krug.

*Ko li će pronaći moje telo?*

*Da li da se ubijem na obali ili na mostu...*

*Možda je bolje da mi telo padne u vodu... da ga nikad ne pronađu...*

– Opa, stadosmo! – uzviknu starac.

Točak je stao, izgleda da se nešto pokvarilo.

Plava korpa u kojoj su sedeli njih dvojica zastala je na samom vrhu točka, ostalo im je još pola kruga da se spuste dole i završe vožnju.

– Šta je s tobom sinko, nešto mi baš nisi mnogo raspoložen? Jesi li se možda prepao vožnje?

– Ma nisam se prepao. A raspoložen nisam... već dugo.

– Pa šta te muči?

– Muči me ova besmislenost života – očepi iskreno.

– E pa nemoj tako, nije baš tako strašno. Vidi te kakav si mlad i stasit, šta bih ja trebalo da kažem?

– Ma nije to do godina...

– Pa, do čega je? Hajde, ispričaj mi, nigde nam se ne žuri. Možda ćemo ovako do jutra sedeti, ko zna kad će nam opraviti točak – strpljivo reče starac.

– Nemam više volje ni za čim, niti kome verujem. Nema više dobrote u ljudima, niti ima budućnosti.

– Možda ti samo očekuješ previše?

– Naprotiv... Samo sam, kad sam bio dete, očekivao da budem sretan koliko i ostali.

– Ne nosiš prsten, nisi oženjen?

– Nisam.

– Imaš li devojku?

– Nemam... I ne treba mi. Niko mi ne treba. Život je obična iluzija, laž. Samo prelaziš iz jednog jada u drugi... Što bih još vukao nekoga sa sobom?

– Stani, dete, stani! Nije baš tako. Vidiš ovaj točak na kojem se mi sada vozimo, to ti je život sinko. Čas si dole, čas si gore. Oni što su dole ne mogu da dočekaju da se popnu gore, a oni gore, moraju se spustiti dole, kad-tad, jer sinko, ne zaboravi nikada – točak se vrti u krug!

Pogledaj dole, maše nam moja ćerka Rada, ona što prodaje žetone! A onaj dečko što pomaže ukrcavanje to je moj unuk, Živko.

Vidiš, ponekad je ugodna vožnja na točku, kao večeras kad je lepo vreme. Ali nekad je gadno, zamisli da smo se sinoć zaglavili ovde, padala je kiša i duvao vetar. Smrzli bi se i razboleli.

Na točku ljudi ponekad izgube dragocene stvari, jesi l' video onu devojku što joj je ispala narukvica? Ko zna da li će je naći?!

A sad zamisli kako je kad ljudi ispadnu iz točka!? Jedan ovakav se srušio u Italiji, popadali ljudi kô kruške s drveta! Dvadeset ih je stradalo, na mestu mrtvo! Ali, i posle te nesreće, ljudi opet hoće da se vozaju. Znaju da je vredno napora obrnuti koji krug i osetiti energiju kojom se točak napaja iz svemira.

Zato, sinko, poslušaj ako hoćeš, savet. Nemoj da razmišljaš o kiši i vetru, ili da li će se točak srušiti, nego se lepo smesti i uživaj u vožnji!

U tom trenutku točak se pokrenuo.

Konačno su ga popravili, šta god da mu je bilo.

Plava korpa se nesigurno tresla dok se spuštala, činilo mu se da mu od tog truckanja ispadaju crne misli iz glave. Kad su se konačno spustili na zemlju, skinuo je ruku s pištolja i pružio je starcu.

Zahvalio mu je na savetu i zaželeo laku noć, a onda je požurio da opet stane u red, da kupi žeton za još jednu vožnju.

Stajao je u redu strpljivo, tražeći pogledom unaokolo sijamske drugarice, *baš bi se sada rado s njima provozao.*

– Dobro veče, gospođo Rado! Ja bih još jednu vožnju! – pozdravio je srdačno kad je došao na red.

– Pa rekoh ti ja – smeškala se zagonetno kroz otvor na kućici.

– Ma… nisam baš bio raspoložen, ali me je vaš otac – nastavio je šapatom unoseći joj se kroz otvor u lice – što bi se reklo, vratio u život.

A onda se Rada unese još bliže njemu u lice, i progutavši zalogaj mesa sa jagnjeće glavuše, tiho reče:

– Slušaj, dete, moj je otac umro pre pet godina, bog da mu duši prosti, a ti si već peti koji ga je večeras video.

Posle je otišao u Bife kod Aćima i tamo je sreo sijamske drugarice. Kupio im je sokove i odveo ih na autodrom…

Do duboko u noć šetali su pored reke. Držao je nežno za ruku onu devojku što se stalno kikotala… Jelena se zvala. Poklonio joj je licidersko srce, a ona ga je poljubila u mladež na sredini čela.

Sa obale se video točak koji se neumorno okretao.

Učinilo mu se da je video starca sa belom košuljom i kravatom boje maline.

Izvinio se devojkama, izvadio pištolj iz džepa i opalio visoko u nebo.

Čiči u čast.

# LJUBAV
# IZ POČETKA

Stajala je skrivena od greha, kraj jabukovog drveta s dubokim ožiljkom, *Žana voli Stefana*. Osluškivala je njegov glas kroz hladovinu noći, isprekidane rečenice su dopirale do nje kao plamičci vatre i grejale je svojom toplinom. Noge su joj klecale od stida; htela je da mu priđe, da padne na kolena i pruži mu mač da joj odseče glavu.

*Bolje nije ni zaslužila.*

Činilo joj se da mu se glas izmenio, postao hrapav i dubok ... *od gorkog semena kojeg mu je posejala...*

*Ima li pravo da ga sluša nakon svega?*

Žamor vašara, velikih mašina i turbo muzike povremeno bi zagušio njegove reči, ali ona je strpljivo čekala da ga kroz gužvu makar okrzne pogledom.

Na petnaestak metara od nje stajao je muškarac, okružen ljudima koji su ga ispitivali o tehničkim detaljima robe koju je prodavao. Mada je bio umoran, strpljivo i znalački im je davao odgovore.

Povremeno bi provukao prste kroz crnu kosu sklanjajući je s čela i diskretno proverio vreme na ručnom satu.

*Samo još pola sata...*

Žena kraj drveta je plakala.

Plakala je baš tu, gde su svi došli da se vesele.

*Izgubila sam sve... za trenutak nepostojane strasti u tuđem zagrljaju... zaslepela u momentu kad nije imao vremena za mene, umesto da sam ga čekala.*

*Kad bih samo mogla da ga vidim...*

Dvojica koja su ga zaklanjala od njenog pogleda razmakoše se kao pozorišne zavese, i ukaza se njegova pojava, obasjana severnjačom. U rukama je držao elektronsku spravu i demonstrirao kako se rastavlja na delove.

Drhtala je grozničavo dok je gledala u ruke koje su nekada milovale njeno telo. Drhtala je, jer je videla da više ne nosi prsten.

Zavukla je ruke u džepove crvenog džempera i stiskala nervozno bolnu čežnju prstima... Čak se i u mraku, ispod guste krošnje, mogla nazreti njena lepota, duga valovita kosa i vitka silueta pritisnuta pokajanjem.

Umesto broša na džemperu, nosila je ranu na duši.

Srce ju je preklinjalo za hrabrost, ali sa svakim pokušajem, noge bi je izdale korakom unazad, u kukavičluk.

Bila je nejaka i porozna, nesigurna kao morska pena. Nije smela napred od straha da se u potpunosti ne raspe u ništavilo.

*Licemerna sam, za ono što bih htela da mi oprosti, ja njemu nikada ne bih oprostila.*

*Pogrešila sam, kasno je.*

Milovala ga je rukom po glavi, tako izdaleka. Po-vetarac je nanosio miris njegove snage, miris pove-renja koje je prokockala.

*Grešnica.*

Kad bi se samo mogla pomeriti do njega, po-krenuti noge koje neće da je slušaju. Kada bi samo postojale prave reči kojim bi opravdala ono što je učinila, oprale vreme od prljave prošlosti ...

*Izdajnica.*

*Uzalud se nadam ...*

Čula je njegov smeh.

Zvučao je kao zamah krila belog orla, leteo je do nje nadmoćan i izazovan.

Rušio je krhke zidove njene odlučnosti, upijao se u njene suze smejući joj se u lice.

Znala je tada, da mu nikada neće prići.

*Izgorela bih od njegove blizine.*


Stajala je nemoćna, umorna i poražena, iščeku-jući da se pretvori u stub srama, u stub soli svojih isplakanih suza.

Opkoljena vrtlogom košmara, pogledala je muš-karca još jednom, i još jednom ... i još jednom ... *za poslednji put ...*

*Oprosti mi,* okrenula se, i nestala.

Koračala je kroz gužvu bez cilja, od tezge do tez-ge, kao od obale do obale. Nije primetila da reka lju-di teče u krug i da će je vratiti pod ono isto drvo pod kojim je satima stajala ukotvljena ...

Učinilo mu se da ju je video.

Kao da je stajala preko puta, ispod drveta. *Počela je i na javi da me proganja.*

*Njena lepa valovita kosa, stas... Ne... ne bih je olako zamenio s nekom drugom ženom... ali ipak, nemoguće.*

*To ne može biti ona.*

*Otkuda bi ona bila na vašaru, šta bi tu tražila?*

Osetio je kako ga i sama pomisao na nju probada kao zatrovana strela. Probila mu je telo, a onda polako otpuštala svoj otrov. Ljudima ispred sebe je objašnjavao slike tehničkih detalja, a u glavi su mu se vrtele slike iz vremena kad su živeli zajedno...

Od svih sećanja uvek je najbrže iskrsavala poslednja zajednička noć...

*Zašto nije bila strpljiva, zar me nije volela?*

Učinilo mu se da je povetarac doneo miris njenog parfema.

Miris izdaje.

*Da li je moguće da je to ona?* Srce se očajnički nadalo, a ponos je strahovao, jer je znao da bi joj oprostio.

Nije se nikada bojao ljubavi.

Prešao je prstom, tako izdaleka, po oblini njene tamne siluete, uzdahnuo zarobljen u krletki u kojoj ga je ostavila.

*Kad bi samo to bila ona!*

Dok je za trenutak skrenuo pogled, žena kraj drveta je nestala.

*Bolno priviđenje*, pomislio je razočaran.

Reka ljudi tekla je Mihajlovcem.

Držali su se za ruke, da ih struja ne odnese, tražili kroz valove izgubljene dokove. Odupirali su se divljoj snazi gužve i žamora nesvesni da sami stvaraju tu bujicu.

Žena u crvenom džemperu uplovila je opet pod krošnju istog drveta.

Gledala je u pravcu tezge za kojom je malopre stajao, ali muškarca tamo više nije bilo... *Možda će se vratiti...*

*Samo još jednom da ga vidim... Nek' boli, zaslužila sam kaznu. Ostavila sam ih...*

Tiho je preslišavala sve što bi htela da mu objasni, mada je znala da mu nikada to neće reći u lice. Svađale su se u njoj pokajnica i kukavica, jedna je htela napolje, druga nije imala hrabrosti da izađe. Kad god bi pokajnica provirela, kukavica bi je zgrabila i grubo povukla unutra. Svađale su se, a obe su htele isto...

U beznadežnosti njene ispovesti, u kolu srama i pokajanja, spustiše se dve tople ruke na njena ramena.

Nije smela da se okrene.

Znala je da je to on.

*Ko zna koliko je dugo stajao iza njenih leđa? Da li je čuo sve što je izgovorila?*

Pozvao ju je imenom, lepo i nežno, kao kad najdražeg gosta pozivaš u kuću.

Okrenula se.

Na licu joj se videlo da je očajnički htela da uđe u njegovu košulju, u njegov pogled, u njegov život...

Ponekad su reči suvišne, samo bi narušile lepotu spoznaje.

Stajali su ispod jabukovog drveta, u trenutku u kojem nije bilo ni kazne, ni greha.
Dvoje preživelih mučenika.
Bojažljivim su pogledima razgovarala njihova srca i nadala se stvarnosti novog početka.

U susret im je trčala ljubav, sa zlatnim pegicama na nosu...

# O knjizi

Nova zbirka priča Saše V. Ć. organizovana je slično kao njena prva knjiga *Sarajevo u zemlji čuda*, ali osim te sličnosti u strukturi knjige, sve ostalo je različito. Dok je u prvoj knjizi jedna stambena zgrada poslužila kao središte i svojevrsno ogledalo današnjeg Sarajeva, središna tačka nove knjige je vašar u Šapcu, nekadašnjem Malom Parizu, s tim što se u njemu ne ogleda samo jedan grad, već mnogobrojni aspekti savremenih zbivanja i međuljudskih odnosa.

I kao što su sve priče u prvoj zbirci uspele da produbе i prošire sliku savremenog Sarajeva, tako priče u novoj zbirci stvaraju detaljnu sliku uzavrelog vašara ljudskog društva.

Svaka priča govori o jednom od učesnika u vašarskoj zbilji, iako – kako se to brzo pokazuje – svako od njih ima neku drugu, paralelnu zbilju od koje beži ili u kojoj pokušava da se sakrije. To je Saši V. Ć. omogućilo da slobodno razvija svaku pojedinačnu priču, odnosno da se ne bavi samo sajamskom stvarnošću već da, ukoliko to priča zahteva, širi niti pripovedanja u najraznovrsnijim pravcima, uključujući i poigravanja sa samom formom kratke priče.

Nova zbirka priča pokazuje da je Saša V. Ć. spremna da se uhvati u koštac sa svim pripovedačkim izazovima, te da piše sve složenije i detaljnije priče koje, sagledane kao celina, tvore upečatljivu sliku ljudi koji u vašarskoj stvarnosti traže zaklon ili zamenu za stvarnost u kojoj doista prebivaju.

Priče u zbirci su dodatno povezane stalnim pojavljivanjem dede i unuka koji u prvi mah podsećaju na starog amidžu i njegovog najmlađeg sina iz pesme „Otac i sin" Đure Jakšića, s tim što dečak iz knjige Saše V. Ć. nije na vašaru da bi probao pečenje već da, zahvaljujući svom dedi, stekne što više znanja o pravom licu sveta.

Gotovo svi junaci ovih priča zapravo stiču bolje razumevanje sveta, nalazeći na kraju snagu da čak i eventualni poraz pretvore u najavu obnove nade i novog početka. Zbirka priča *Vašar u Malom Parizu* potvrđuje kvalitete pripovedačkog glasa Saše V. Ć., i zauzima jedno od istaknutih mesta u našoj književnosti koja nastaje u tuđini, u senci drugog jezika.

*David Albahari*

*Izdavač*
„Draganić" d.o.o. Beograd

*Za izdavača*
Ivan Draganić

*Na koricama*
Bogdan Miščević, *The Wizard's Path*

*Lektura i priprema*
Sonja Šoć

*Štampa*
Scanner studio, Beograd

*Tiraž*
500

2009

CIP – Katalogizacija u publikaciji
Narodna biblioteka Srbije, Beograd

821.163.41-32

ВЕЉОВИЋ ЋЕКЛИЋ, Александра, 1967–
      Vašar u Malom Parizu / Saša V. Ć. [Veljović Ćeklić] -
Beograd : Draganić, 2009. (Beograd: Scanner studio). - 202.
str. : ilustr. ; 22 cm. - (Biblioteka 24)
      Tiraž 500. - str. 201-202: O knjizi / David Albahari

ISBN 978-86-441-0814-6

COBISS.SR-ID 170098700

Izdavačka kuća Draganić d.o.o. Beograd, Nehruova 67,
11070 Novi Beograd · telefon +381 11/17 61 948; 318 40 60 ·
faks 22 84 061 · e-mail office@draganic.rs · www.draganic.rs